저희 아들은 『똑똑한 하루 독해』를 푸는 동안에
정말 **멈출 수 없는 흥미로움과 재미**에 빠져 있었습니다.
'**더 하고 싶어. 더 풀고 자면 안 돼?**'라는 말을 많이 듣게 해 준 독해서예요.
정말 즐겁게 잘 풀어 준 교재라 저는 더할 나위 없이 좋았네요.
다시 한 번 더 정말 너무너무 감사드리고 『똑똑한 하루 독해』를 빨리 만나 보고 싶어요.

– 『똑똑한 하루 독해』 검토단 이은주(초등학교 3학년 학생 부모님)

#홈스쿨링
#혼자공부하기

똑똑한
하루 독해

Chunjae
Makes
Chunjae

▼

[똑똑한 하루 독해] 1단계 A

편집개발 이문태, 이재인, 김민숙, 김효진, 박지윤
디자인총괄 김희정
표지디자인 윤순미
내지디자인 박희춘, 임용준
제작 황성진, 조규영

발행일 2021년 11월 15일 2판 2024년 10월 1일 6쇄
발행인 (주)천재교육
주소 서울시 금천구 가산로9길 54
신고번호 제2001-000018호
고객센터 1577-0902

1단계 A 공부할 내용 한눈에 보기!

똑똑한 하루 독해를 함께 할 친구들을 소개합니다.

동물 숲의 왕이 되기 위해서는 동물 숲 대대로 내려오는 마법의 책을 읽을 수 있어야 한대요.
과연 누가 독해 실력을 키워 마법의 책을 읽고 동물 숲을 다스리는 왕이 될 수 있을까요?

무엇이든 물어봐!

토깽

나만 믿어!

호랭

동물의 왕이 되고 싶은 욕심이 제일 많은 미호, 걸음은 느려도 성격은 급한 꼬북, 노는 걸 좋아하는 토깽, 울음소리는 우렁차지만 사실은 겁이 많은 호랭과 함께 독해 공부를 시작해 보아요!

What? 독해? 독해!
독해가 뭐예요?

하나!

다들 '독해, 독해' 하는데 독해가 뭐예요?

글자를 읽기만 하는 게 아니라
진짜 이해하여 내 지식으로 만드는 것이 독해예요!

둘!

그럼 독해는 국어인가요?

독해는 그냥 국어만이 아니에요. 읽고 이해하는 독해가 안되면 수학 문제도 풀 수 없어요. 이처럼 독해는 모든 과목 공부를 잘하기 위한 기초랍니다. 독해를 통해 모든 과목의 지식을 내 것으로 만드는 방법을 배워야 해요.

셋!

글 읽고 문제만 계속 풀면 독해 공부가 되나요?

무조건 글 읽고 문제만 푼다고 독해 공부가 잘될 리 없지요. 「똑똑한 하루 독해」로 공부해 보세요. 먼저 어휘를 익히고 시나 이야기뿐만 아니라 수학, 사회, 과학, 역사, 예술은 물론 생활 속 글까지 다양하게 읽어 보세요. 그리고 어휘 심화 문제와 게임으로 실력을 다져요. 이해도 쏙쏙 되고 지루할 틈이 없겠지요?

진짜 똑똑한 독해를 시작해 볼까요?

이 책의
특징과 장점

똑똑한 하루 독해로
똑똑해지자!

뭐 이렇게 독해책이 많아?

모르는구나?
요즘 독해가 대세야!

독해를 잘해야 국어뿐만
아니라 다른 과목 문제를
풀 때에도 요점을 잘 짚어
이해하고 풀 수 있다고.

독해는 어휘가 기본인데,
이 책은 어휘가 너무 부족해.

이 책은 너무 글만 가득해서
어렵고 지루해. 벌써 졸려!

이 책은 몽땅 교과서 글만 있잖아.
난 다양한 글을 읽고 싶은걸.

Why? 똑똑한 하루 독해!
왜 똑똑한 하루 독해일까요?

① **10분이면 하루 독해 끝!** 쉽고 재미있는 독해 공부!

② **어휘로 준비하고 어휘로 마무리!** 어휘력 쑥! 독해력 쑤욱!

③ **'문학·비문학·실생활' 알짜 지문!** 하루하루 다양하고 즐거운 독해!

④ **독해 최초 생활 속 독해, 생활 어휘, 생활 한자!** 생활 맞춤 실용 독해 완성!

⑤ **똑똑한 독해 게임으로 사고력 넓히기!** 창의·융합 독해력 팍팍!

이 책의
구성과 활용

한 주에 공부할 내용을 한눈에 보고, 문제로 확인합니다.

주 도입

한 주 동안 매일 공부할 글의 제목과 내용을 만화로 미리 살펴
보고, 한 주의 독해 속 어휘를 만화와 문제로 확인합니다.

독해 코스

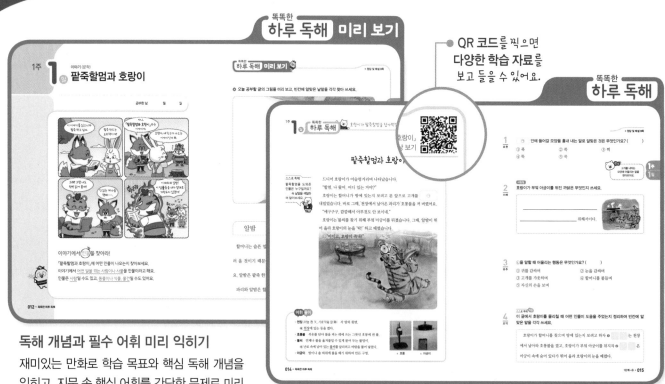

독해 개념과 필수 어휘 미리 익히기
재미있는 만화로 학습 목표와 핵심 독해 개념을
익히고, 지문 속 핵심 어휘를 간단한 문제로 미리
익히며 독해를 준비합니다.

실전 독해와 다양한 유형의 핵심 문제 풀기
여러 영역의 글을 읽고 다양한 유형의 문제로 독해를 완성합니다. 서술형 문제로
쓰기 연습을 해 보고, '스스로 독해 해결' 문제로 자기 주도 학습 능력을 키웁니다.

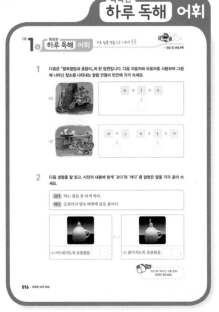

똑똑한 하루 독해 어휘

어휘 문제로 마무리하기
글에 쓰인 어휘를 문제로 다시 한번 확인하고 비슷한말, 반대말 등 관련 어휘 학습으로 어휘력을 넓힙니다.

똑똑한 하루 독해 게임

게임으로 독해력 넓히기
재미있는 독해 게임으로 독해력을 넓히고 하루의 독해 학습을 마무리합니다.

누구나 100점 테스트와 주 특강으로 한 주의 독해를 마무리해 봅니다.

주 마무리

누구나 100점 테스트
한 주 동안 공부한 내용을 평가해 보며 독해 실력을 확인하고, 독해에 대한 자신감을 키웁니다.

+

주 특강 창의·융합·코딩
다양한 형식의 창의·융합·코딩 미션을 해결하며 한 주의 중요 어휘를 확인하고 다양한 배경지식을 넓힙니다.

친구들과 약속해요!

우리 같이 약속해요!

첫째, 하루하루 빠짐없이 꾸준히 공부하기!

둘째, 하루 독해 문제 끝까지 다 풀기!

셋째, 틀린 문제는 왜 틀렸는지 다시 한번 확인하기!

약속하는 사람 _____

쉽고 재미있는
『똑똑한 하루 독해』로
독해 공부를 시작해 봐요.

똑 똑 한

하루
독해

NYANGI

단계
1
A
예비초~1학년

1-1 밑줄 그은 '알밤'의 뜻으로 알맞은 것에 ○표를 하세요.

그때, 알밤이 튀어 올라 호랑이의 눈을 '탁!' 하고 때렸습니다.

(1) 주먹으로 머리를 쥐어박는 일.　　（　　　）

(2) 밤송이에서 빠지거나 떨어진 밤톨.　　（　　　）

1-2 다음 문장에서 사진 속 '알밤'이 쓰인 것을 골라 ○표를 하세요.

힌트
밤나무의 열매를
보여 주는 사진이에요.

(1) 다람쥐가 알밤을 주워 먹는다.　　（　　　）

(2) 형에게 까불다가 알밤을 맞았다.　　（　　　）

▶ 정답 및 해설 8쪽

2-1 다음 문장에 들어갈 바른 낱말을 골라 ○표를 하세요.

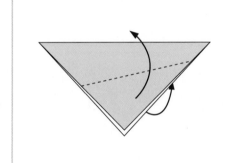

둘째, 점선을 따라 비스듬히 (위쪽 , 윗쪽)으로
접어 올리고, 뒤집어서 똑같이 해요.

2-2 초대장 에서 밑줄 그은 낱말을 바르게 고쳐 쓰세요.

초대장

내 생일잔치에 초대할게.
우체국 <u>윗쪽</u>에 있는 빨간 지붕이
우리 집이야.

힌트

'위쪽'은 '위'와
'쪽'이 만나서 만들어진
낱말이에요.

윗 쪽 ➡ ☐☐

1 일

이야기 (문학)

팥죽할멈과 호랑이

공부한 날   월   일

이야기에서 인물을 찾아라!

「팥죽할멈과 호랑이」에 어떤 인물이 나오는지 찾아보세요.

이야기에서 어떤 일을 겪는 사람이나 사물을 인물이라고 해요.

인물은 사람일 수도 있고, 동물이나 식물, 물건일 수도 있어요.

● 오늘 공부할 글의 그림을 미리 보고, 빈칸에 알맞은 낱말을 각각 찾아 쓰세요.

| 알밤 | 팥죽 | 호롱불 | 아궁이 |

할머니는 슬픈 얼굴로 ❶ ☐☐ 을 끓였어요. 호랑이가 할머니를 잡아먹으

→팥을 푹 삶아서 체에 으깨어 거른 물에 쌀을 넣고 쑨 죽.

러 올 것이기 때문이었지요. 파리는 팥죽 한 그릇을 먹고 천장에 올라가 숨었어

요. 알밤은 팥죽 한 그릇을 먹고 ❷ ☐☐☐ 에 들어가 숨었지요.

→방이나 솥 따위에 불을 때기 위하여 만든 구멍.

파리와 알밤은 할머니를 어떻게 도울까요?

「팥죽할멈과 호랑이」
영상 보기

팥죽할멈과 호랑이

스스로 독해

팥죽할멈을 도와준 인물은 누구일까요? ◯ 속 낱말을 색칠하며 알아보세요.

드디어 호랑이가 어슬렁거리며 나타났습니다.

"할멈, 나 왔어. 어디 있는 거야?"

호랑이는 할머니가 방에 있는지 보려고 문 앞으로 고개를 [㉠]

내밀었습니다. 바로 그때, 천장에서 날아온 파리가 호롱불을 꺼 버렸어요.

"에구구구. 깜깜해서 아무것도 안 보이네."

호랑이는 불씨를 찾기 위해 부엌 아궁이를 뒤졌습니다. 그때, 알밤이 튀

어 올라 호랑이의 눈을 '탁!' 하고 때렸습니다.

㉡"아이고, 호랑이 죽네!"

어휘 풀이

▼**천장**|하늘 천 天, 가로막을 장 障| 각 방의 윗면.

  ㉠ 천장에 있는 등을 켰다.

▼**호롱불** 석유를 담아 불을 켜는 데에 쓰는 그릇인 호롱에 켠 불.

▼**불씨** 언제나 불을 옮겨붙일 수 있게 묻어 두는 불덩이.

  ㉠ 난로 속에 남아 있는 불씨를 살리려고 바람을 불어 넣었다.

▼**아궁이** 방이나 솥 따위에 불을 때기 위하여 만든 구멍.

▲ 호롱

▲ 아궁이

1
표현

⑦ 안에 들어갈 모양을 흉내 내는 말로 알맞은 것은 무엇인가요? (   )

① 쏙   ② 쑥   ③ 찍
④ 뚝   ⑤ 꾹

힌트
고개를 내미는
모양에 어울리는 말을
찾아보아요.

2
이해

서술형
호랑이가 부엌 아궁이를 뒤진 까닭은 무엇인지 쓰세요.

_____

_____ 위해서이다.

3
유추

㉢을 말할 때 어울리는 행동은 무엇인가요? (   )

① 귀를 감싸며   ② 눈을 감싸며
③ 고개를 갸웃하며   ④ 할머니를 붙들며
⑤ 자신의 손을 보며

4
요약

스스로 독해 해결!
이 글에서 호랑이를 물리칠 때 어떤 인물이 도움을 주었는지 정리하여 빈칸에 알
맞은 말을 각각 쓰세요.

호랑이가 할머니를 찾으며 방에 있는지 보려고 하자 ❶ ☐ ☐ 는 천장

에서 날아와 호롱불을 껐고, 호랑이가 부엌 아궁이를 뒤지자 ❷ ☐ ☐ 은

아궁이 속에 숨어 있다가 튀어 올라 호랑이의 눈을 때렸다.

▶정답 및 해설 8쪽

1 다음은 「팥죽할멈과 호랑이」의 한 장면입니다. 다음 자음자와 모음자를 사용하여 그림에 나타난 장소를 나타내는 말을 만들어 빈칸에 각각 쓰세요.

(1)

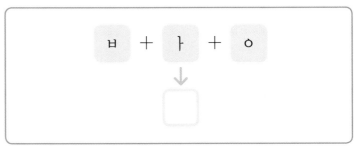

ㅂ + ㅏ + ㅇ

↓

(2)

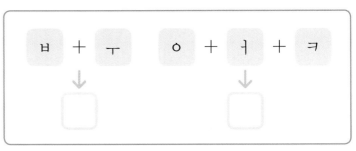

ㅂ + ㅜ + ㅇ + ㅓ + ㅋ

↓   ↓

2 다음 설명을 잘 읽고, 사진의 내용에 맞게 '끄다'와 '켜다' 중 알맞은 말을 각각 골라 쓰세요.

> 끄다 타는 불을 못 타게 하다.
>
> 켜다 등잔이나 양초 따위에 불을 붙이다.

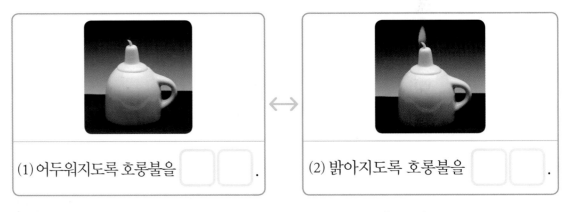

(1) 어두워지도록 호롱불을 ☐☐.   ⟷   (2) 밝아지도록 호롱불을 ☐☐.

힌트

'끄다'와 '켜다'는 서로 뜻이
반대인 말이에요.

● 다음 그림은 「팥죽할멈과 호랑이」의 뒷부분 내용을 나타낸 것입니다. 다음 중 호랑이를 물리치는 데 도움을 주지 <u>않은</u> 인물을 찾아 ×표를 하세요.

(1)	(2)	(3)	(4)	(5)
쇠똥	항아리	지게	멍석	절구
( )	( )	( )	( )	( )

 「팥죽할멈과 호랑이」의 **뒷이야기**를 알아보고, 호랑이를 물리친 **인물**들을 알아봅니다.

과학 (비문학)

거미는 곤충일까?

공부한 날 　　월 　　일

설명하는 대상의 다른 점을 찾아라!

「거미는 곤충일까?」를 읽고 설명하는 두 대상의 다른 점을 찾아보세요.

글에서 설명하고 있는 두 가지 대상을 찾아보고,

그 대상의 특징이 어떻게 다른지 정리해 보아요.

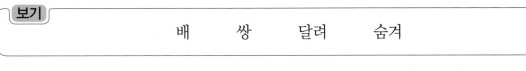

● 오늘 공부할 글의 그림을 미리 보고, 빈칸에 알맞은 낱말을 보기 에서 각각 찾아 쓰세요.

보기

배   쌍   달려   숨겨

❶ □

곤충에서 머리와 가슴이 아닌 부분.
⑩ 곤충인 벌의 몸은 머리, 가슴, ○로 나뉘어 있다.

❷ □

둘을 하나로 묶어 세는 말.
⑩ 거미는 다리가 네 ○이다.

❸ □□

일정한 곳에 붙여져.
⑩ 곤충인 나비는 날개가 ○○ 있다.

거미에 대해
자세히 알아보기

거미는 곤충일까?

스스로 독해

이 글에서는 무엇과 무엇의 다른 점을 설명하고 있을까요?

◯ 속 낱말을 색칠하며 살펴보세요.

거미는 곤충일까요?

곤충의 몸은 크게 머리, 가슴, 배 이렇게 세 부분으로 나뉘어 있어요. 그리고 대부분 세 쌍의 다리가 있고 날개도 달려 있지요.

그러나 거미의 몸은 머리와 가슴이 하나로 되어 있어요. 곤충과 ㉠ 머리가슴, 배 이렇게 두 부분으로 나뉘어 있지요. 그리고 다리는 네 쌍이고 날개가 없어요.

그래서 거미는 곤충이 아니랍니다.

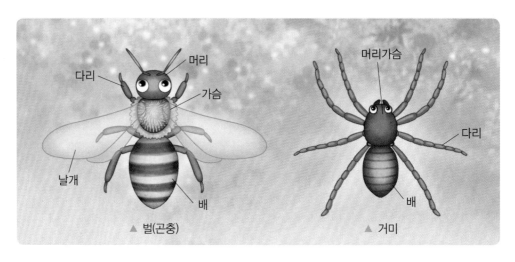

▲ 벌(곤충) ▲ 거미

어휘 풀이

▼ **배** 곤충에서 머리와 가슴이 아닌 부분. 예 메뚜기의 배에는 마디가 있다.

▼ **나뉘어** 하나가 둘 이상으로 갈려. 예 빵이 세 조각으로 나뉘어 있다.

▼ **대부분**|큰 대 大, 나눌 부 部, 나눌 분 分| 일반적인 경우에.

예 그의 말은 대부분 거짓말이라 잘 믿지 않는다.

▼ **쌍**|두 쌍 雙| 둘을 하나로 묶어 세는 말. 예 나무에 비둘기 한 쌍이 앉아 있다.

▼ **달려** 일정한 곳에 붙여져. 예 구미호는 꼬리가 아홉 개 달려 있다.

1
이해

곤충의 몸은 크게 세 부분으로 어떻게 나뉘어 있나요? (   )

① 머리, 팔, 배

② 가슴, 팔, 배

③ 가슴, 팔, 등

④ 머리, 가슴, 배

⑤ 머리, 팔, 날개

2
이해

서술형

거미는 머리와 가슴에 어떤 특징이 있는지 쓰세요.

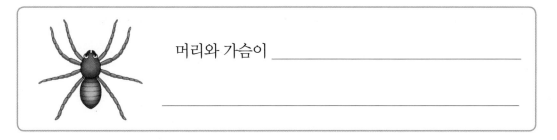

머리와 가슴이 _____

_____

3
유추

ㄱ 안에 들어갈 말로 알맞은 것에 ○표를 하세요.

(1) 같이 (   )   (2) 달리 (   )

힌트

ㄱ의 뒷부분에 나오는 내용이 곤충과 같은 점이나 비슷한 점이면
'같이'가 들어가고, 곤충과 다른 점이면 '달리'가 들어가요.

스스로 독해 해결!

4
요약

이 글의 중요한 내용을 정리하여 빈칸에 알맞은 말을 각각 쓰세요.

❶ ☐☐ 의 특징	↔	❷ ☐☐ 의 특징
• 몸이 세 부분으로 나뉨.		• 몸이 두 부분으로 나뉨.
• 대부분 다리는 세 쌍임.		• 다리는 네 쌍임.
• 대부분 날개가 있음.		• 날개가 없음.

↓

거미는 ❸ ☐☐ 이 아니다.

1   다음 보기 를 참고하여 빈칸에 알맞은 숫자를 각각 쓰세요.

보기

날개 두 쌍

= 날개 4개

(1)

다리 세 쌍

= 다리 ☐ 개

(2)

다리 네 쌍

= 다리 ☐ 개

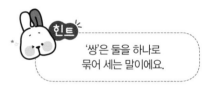

힌트

'쌍'은 둘을 하나로
묶어 세는 말이에요.

2   다음 그림을 잘 보고 「거미는 곤충일까?」의 내용에 알맞은 낱말을 골라 ◯표를 하세요.

언니가 나를
업어요.

상자 안에
물건이
없어요.

거미는 날개가 (업어요 , 없어요).

● 「거미는 곤충일까?」를 읽고, 거미줄에 대하여 더 알아보려고 해요. 다음 그림을 보고
   규칙 에 맞게 거미줄을 완성해 보세요.

규칙
   1부터 25까지의 숫자 순서대로 곧게 선을 그어 봅니다.

 「거미는 곤충일까?」의 내용을 떠올리며 **거미줄의 모양**에 대하여 더 알아봅니다.

우산 속

장면을 떠올리며 시를 읽어 보자!

「우산 속」을 읽고 장면을 떠올려 보세요.

시를 읽으면서 떠오르는 물건이나 사람을 생각해 보고

시 속 인물이 무엇을 하고 있는지를 상상해 보세요.

똑똑한 하루 독해 미리 보기

● 오늘 공부할 글의 그림을 미리 보고, 빈칸에 알맞은 낱말을 각각 찾아 쓰세요.

우산 속이 엄마 품속 같아요.

야호!

앗, 차가워!
빗방울이 야단스럽게
떨어지네.

품속   야단   우산

우산 속을 누구의 ❶ [ ][ ] 같다고 했을까요?
→ 두 팔을 벌려서 안을 때의 가슴인 품의 속.

빗방울들이 왜 ❷ [ ][ ] 일까요?
→ 매우 떠들썩하게 일을 벌이거나 소란스럽게 자꾸 떠듦.
또는 그런 짓.

동시 「우산 속」 듣기

우산 속

문삼석

스스로 독해

이 시를 읽으면 어떤 장면이 떠오르나요? ◯ 속 낱말을 색칠하며 장면을 떠올려 보세요.

⟨우산⟩ 속은
엄마 ▾품속 같아요.

⟨빗방울⟩들도
들어오고 싶어

두두두두
▾야단이지요.

어휘 풀이

▾**품속**   두 팔을 벌려서 안을 때의 가슴인 품의 속. ㉐ 할머니의 품속은 언제나 따뜻하다.

▾**빗방울**   비가 되어 점점이 떨어지는 물방울. ㉐ 빗방울이 떨어지기 시작하자 사람들이 하나둘 우산을 폈다.

▾**야단**|이끌 야 惹, 바를 단 端| 매우 떠들썩하게 일을 벌이거나 소란스럽게 자꾸 떠듦. 또는 그런 짓.
　㉐ 우리 집 강아지는 나만 보면 좋아서 야단이다.

1
이해

우산 속이 누구 품속 같다고 하였나요? (   )

① 엄마　　　　　② 아빠　　　　　③ 선생님
④ 할머니　　　　⑤ 할아버지

2
표현

서술형

빗방울들도 우산 속으로 들어오고 싶어 하는 마음을 어떻게 표현하였는지 쓰세요.

_____ 소리를 내며 야단이라고 표현하였다.

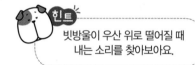

힌트
빗방울이 우산 위로 떨어질 때
내는 소리를 찾아보아요.

3
유추

스스로 독해 해결!

이 시를 읽고 떠오르는 장면으로 알맞은 것에 ◯표를 하세요.

(1) 우산 위로 빗방울이 떨어지는 장면　　　　　　　　　(   )
(2) 맑은 하늘에 구름이 뭉게뭉게 피어오르는 장면　　　　(   )

4
요약

이 시의 내용을 정리하여 빈칸에 알맞은 말을 각각 쓰세요.

우산 속은 ❶ ☐ ☐　품속 같아서
❷ ☐ ☐ ☐ 들도 들어오고 싶어
우산 위로 야단스럽게 떨어진다.

1 「우산 속」에 나오는 다음 그림에 무엇과 무엇이 그려져 있는지 보기 에서 각각 찾아 쓰세요.

> **보기**
>
> 우산   비옷   솔방울   빗방울

(1) ⬚⬚

(2) ⬚⬚⬚

2 다음 밑줄 그은 낱말처럼 빗소리를 흉내 내는 말에 ○표를 하세요.

빗방울들도 들어오고 싶어	<u>두두두두</u> 야단이지요.

(1) **부르릉**

자동차나 비행기 따위가 움직일 때 나는 소리.

(   )

(2) **후드득**

굵은 빗방울 따위가 떨어지는 소리.

(   )

(3) **푸드덕**

큰 새가 힘 있게 날개를 치는 소리.

(   )

> 힌트
> 비가 내리는 상황에 어울리는 소리를 찾아보아요.

◉ 옛날 사람들은 비가 올 때 삿갓과 도롱이를 사용했다고 해요. 삿갓과 도롱이를 사용한 사람은 누구인지 다음 그림자에 알맞은 그림을 찾아 ○표를 하세요.

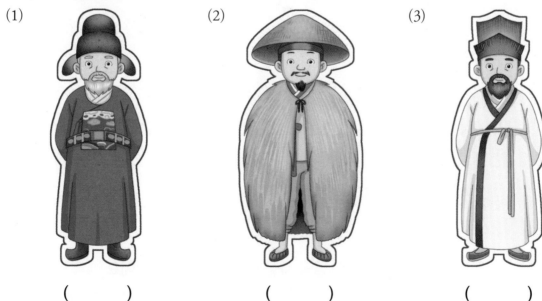

(1)   (   )

(2)   (   )

(3)   (   )

 「우산 속」의 내용을 떠올리며 **옛날 사람들이 비가 올 때 사용했던 도구**에 대하여 알아봅니다.

4일 세종 대왕

인물 (비문학)

공부한 날   월   일

인물이 한 일을 찾아라!

「세종 대왕」을 읽고 인물이 한 일을 찾아보세요.

전기문은 어떤 인물의 삶을 사실을 바탕으로 쓴 글이에요.

전기문을 읽을 때에는 인물이 한 일이 무엇인지 생각하며 읽어야 해요.

● 오늘 공부할 글과 그림을 미리 보고, 알맞은 낱말을 각각 찾아 표시하세요.

세종 대왕은 연구에 온 정신을 다 기울여 열심히 노력을 한 결과, 1443년에 마침내 한글을 만들었답니다.

1 '훌륭하고 뛰어난 임금을 높여 이르는 말.'이라는 뜻의 낱말을 찾아 ○표를 하세요.

2 '목적을 이루기 위하여 몸과 마음을 다하여 애를 씀.'이라는 뜻의 낱말을 찾아 △표를 하세요.

세종 대왕과 훈민정음에 대해 자세히 알아보기

세종 대왕

스스로 독해

세종 대왕은 어떤 일을 하셨을까요? 점선 부분을 따라 선을 그으며 읽고 답을 찾아보세요.

　　세종 대왕이 한글을 만들기 전에는 우리나라의 글자가 없어서 중국의 한자로 글을 썼어요. 그런데 백성들에게 한자는 너무 어려웠어요. 그래서 글을 읽지도 못하고 쓰지도 못하는 백성들이 많았어요.

　　이를 ⓐ안타깝게 여긴 세종 대왕은 우리말에 맞는 글자를 만들기로 했어요. 세종 대왕은 연구에 온 정신을 다 기울여 열심히 노력을 한 결과, 1443년에 마침내 한글을 만들었답니다.

어휘 풀이

▼**대왕**│큰 대 大, 임금 왕 王│　훌륭하고 뛰어난 임금을 높여 이르는 말.
　　⑩ 광개토 대왕은 고구려를 잘 다스렸다.

▼**백성**│일백 백 百, 성씨 성 姓│　나라의 본바탕을 이루는 일반 국민을 옛 말투로 이르는 말.
　　⑩ 임금은 백성을 현명하게 다스려야 한다.

▼**연구**│갈 연 研, 궁구할 구 究│　어떤 사물이나 일에 관련된 사실을 밝히기 위해 그에 대해 자세히 조사하고 분석하는 일. ⑩ 환경 오염이 심해지는 까닭을 연구하였다.

1
이해

우리나라의 글자가 없던 때에 쓰던 한자는 어느 나라의 글자인지 쓰세요.

(   )

2
이해

서술형

백성들이 한자를 읽지도 못하고 쓰지도 못하였던 까닭은 무엇인지 쓰세요.

한자가 너무 _____ 때문이다.

3
어휘

㉠과 바꾸어 쓸 수 있는 낱말은 무엇인가요? (   )

① 고맙게   ② 기쁘게   ③ 부럽게
④ 자랑스럽게   ⑤ 가슴 아프게

힌트

'안타깝게'는 '뜻대로 되지 않거나 보기에 딱하여 가슴 아프고 답답하게.'라는 뜻이에요.

4
요약

스스로 독해 해결!

이 글에서 세종 대왕이 한 일을 정리하여 빈칸에 알맞은 말을 각각 쓰세요.

한자를 읽지도 못하고 쓰지도 못하는 ❶ ☐ ☐ 들을 안타깝게 여겼다.

↓

세종 대왕이 열심히 연구한 결과, 1443년에 ❷ ☐ ☐ 을 만들었다.

1 다음 설명을 잘 읽고 빈칸에 '전'과 '후' 중 알맞은 말을 각각 쓰세요.

> 전 기준이 되는 때를 포함하여 그보다 앞.
>
> 후 뒤나 다음.

1443년에 세종 대왕이
한글을 만들었다.

(1) 세종 대왕이 한글을 만
들기 ☐ 에는 백성들
이 중국의 한자를 썼다.

(2) 세종 대왕이 한글을
만든 ☐ 에는 백
성들이 한글을 썼다.

2 다음 밑줄 그은 낱말과 뜻이 반대인 말을 보기에서 각각 찾아 쓰세요.

> 보기
>
> 작았어요   적었어요   쉬웠어요

(1) 백성들에게 한자는 너무 <u>어려웠어요</u>.

↔ ☐

(2) 글을 읽지도 못하고 쓰지도 못하는 백성들이 <u>많았어요</u>.

↔ ☐

힌트

어떤 것의 양을 나타낼 때에는 '적다'와 '많다'라는 낱말을 쓰고,
어떤 것의 크기를 나타낼 때에는 '작다'와 '크다'라는 낱말을 써요.

◉ 세종 대왕이 만든 한글의 원래 이름은 무엇일까요? 다음 기호가 나타내는 글자가 무엇인지 알아보고, 한글의 원래 이름을 빈칸에 쓰세요.

내가 만든 이 글자는 백성을 가르치는 바른 소리라는 뜻으로 '♠ ♣ ◉ ◈'이라고 부르겠다.

기호	♣	♥	◉	★	♠	◆	◈
나타내는 글자	민	한	정	자	훈	글	음

• 한글의 원래 이름은 ☐ ☐ ☐ ☐ 이다.

「세종 대왕」의 내용을 생각하며 기호가 나타내는 글자를 찾아보고 **한글의 원래 이름**을 알아봅니다.

색종이 접어 메뚜기 만들기

공부한 날   월   일

일의 순서를 정리하며 읽자!

「색종이 접어 메뚜기 만들기」를 읽고 일의 순서를 정리해 보세요.

일의 순서를 알려 주는 말을 살펴보고, 가장 먼저 해야 할 일과

그다음에 해야 할 일을 차례대로 정리하면 된답니다.

● 오늘 공부할 글의 그림을 미리 보고, 빈칸에 알맞은 낱말을 보기 에서 각각 찾아 쓰세요.

보기

| 점선 | 접어 | 똑바르게 | 비스듬히 |

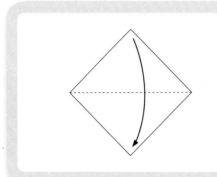

❶

점 또는 짧은 선 토막으로 이루어진 선.
㉠ 색종이에 그려진 ○○을 따라 반으로 접
는다.

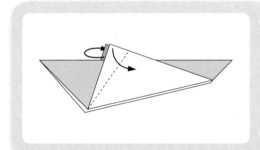

❷

천이나 종이 따위를 꺾어서 겹쳐.
㉠ 색종이를 ○○ 메뚜기를 만들었다.

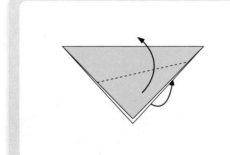

❸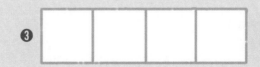

한쪽으로 기운 듯하게.
㉠ 점선을 따라 ○○○○ 접어 올린다.

종이 공작에 대해 자세히 알아보기

색종이 접어 메뚜기 만들기

스스로 독해

색종이를 접어 메뚜기를 만드는 순서는 어떠할까요? ◯ 속 낱말을 색칠하며 그 순서대로 정리해 보세요.

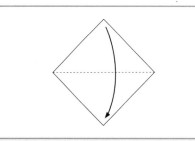

첫째, 사각형인 색종이를 점선을 따라 반으로 접어 삼각형을 만들어요.

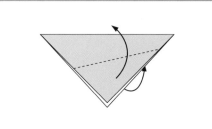

둘째, 점선을 따라 비스듬히 위쪽으로 접어 올리고, 뒤집어서 똑같이 해요.

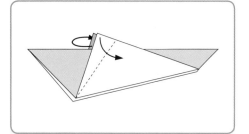

셋째, 접어 올린 색종이의 윗부분을 점선을 따라 접고, 뒤집어서 똑같이 해요.

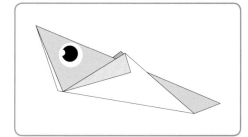

넷째, 머리 부분에 색연필로 메뚜기 눈을 동그랗게 그려요.

어휘 풀이

▼ **점선**|점 찍을 점 點, 줄 선 線| 점 또는 짧은 선 토막으로 이루어진 선.

　㉮ 색종이에 접을 부분을 점선으로 표시했다.

▼ **접어** 천이나 종이 따위를 꺾어서 겹쳐. ㉮ 색종이를 접어 장미꽃을 만들었다.

▼ **비스듬히** 한쪽으로 기운 듯하게. ㉮ 의자에 비스듬히 앉아 있었다.

▼ **메뚜기** 뒷다리가 발달하여 잘 뛰어다니는 누런 녹색 또는 누런 갈색의 곤충.

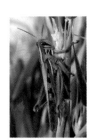

▲ 메뚜기

1
어휘

다음 중 점선은 무엇인지 골라 ○표를 하세요.

(1) ——————————— (　　　)

(2) ------------------------------- (　　　)

2
이해

색종이를 접어 메뚜기를 만들 때 필요한 물건은 무엇인지 두 가지 고르세요.

(　　　　　)

①  ② 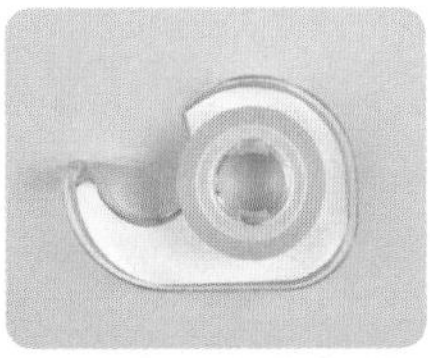 ③

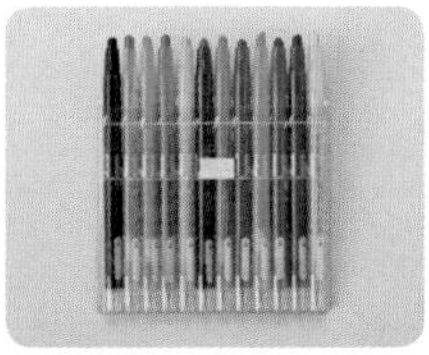

④ 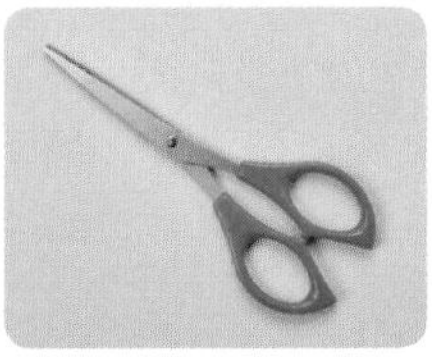 ⑤

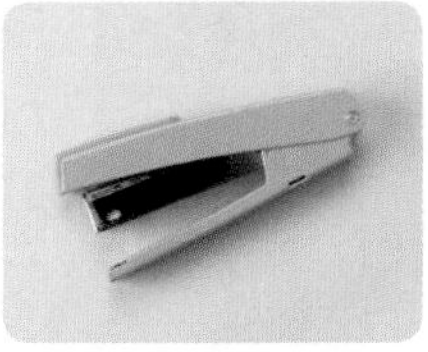

힌트
메뚜기의 몸을 만들고 눈을 그릴 때 필요한 물건을 찾아보아요.

3
이해

서술형

색종이를 접어 메뚜기를 만들 때 가장 먼저 해야 할 일은 무엇인지 쓰세요.

색종이를 점선을 따라 ＿＿＿＿＿＿＿＿＿＿＿＿＿ 삼각형을 만든다.

4
요약

스스로 독해 해결!

색종이를 접어 메뚜기를 만드는 순서대로 이 글의 내용을 정리하여 빈칸에 알맞은 말을 각각 쓰세요.

❶ 색종이를 　　　　　 모양으로 접기

❷ 　　　 을 따라 비스듬히 접어 올리기

❸ 접어 올린 색종이의 윗부분을 점선을 따라 접기

❹ 눈을 그리기

1 다음 문장에서 밑줄 그은 낱말과 같은 뜻으로 쓰인 낱말을 골라 ○표를 하세요.

> 사각형인 색종이를 점선을 따라 <u>반</u>으로 접어 삼각형을 만들어요.

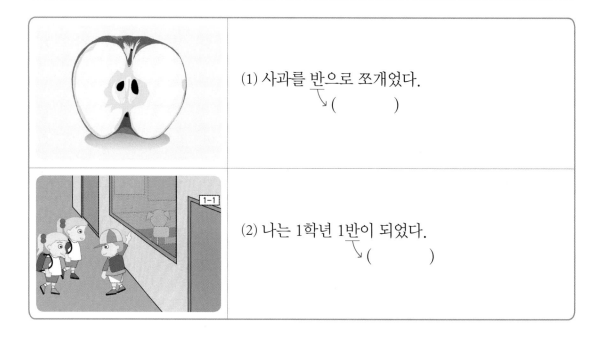

(1) 사과를 반으로 쪼개었다.
( )

(2) 나는 1학년 1반이 되었다.
( )

2 「색종이 접어 메뚜기 만들기」에 나오는 다음 낱말과 뜻이 비슷한 말을 각각 찾아 선으로 이으세요.

(1) 색종이 •

(2) 사각형 •

(3) 삼각형 •

• ① 색지

• ② 세모

• ③ 네모

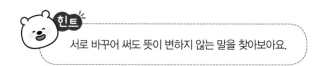

힌트
서로 바꾸어 써도 뜻이 변하지 않는 말을 찾아보아요.

● 색종이를 접어 메뚜기를 만들어 보았다면, 이번에는 칠교판 조각으로 다른 동물을 만들어 볼까요? 다음 고양이를 만들 때 사용한 칠교판 조각에 모두 ○표를 하세요.

▶

「색종이 접어 메뚜기 만들기」의 내용을 떠올리며 **칠교판을 이루는 삼각형과 사각형**에 대하여 알아봅니다.

1단계-Ⓐ • **041**

[1~3] 다음 글을 읽고, 물음에 답하세요.

"할멈, 나 왔어. 어디 있는 거야?"

호랑이는 할머니가 방에 있는지 보려고 문 앞으로 고개를 쑥 내밀었습니다. 바로 그때, 천장에서 날아온 파리가 호롱불을 꺼 버렸어요.

"에구구구. 깜깜해서 아무것도 안 보이네."

호랑이는 불씨를 찾기 위해 부엌 아궁이를 뒤졌습니다. 그때, 알밤이 튀어 올라 호랑이의 눈을 '탁!' 하고 때렸습니다.

㉠"아이고, 호랑이 죽네!"

1 이 글에 나오는 인물을 모두 고르세요.

( )

① 모기
② 알밤
③ 파리
④ 호랑이
⑤ 할아버지

2 호랑이의 눈을 때린 '알밤'의 뜻을 알맞게 말한 친구의 이름을 쓰세요.

> 미연: 주먹으로 머리를 쥐어박는 일입니다.
>
> 지완: 밤송이에서 빠지거나 떨어진 밤톨을 말합니다.

( )

3 ㉠에서 호랑이의 마음으로 알맞은 것을 골라 ○표를 하세요.

(1) 반가운 마음 ( )

(2) 깜짝 놀란 마음 ( )

[4~5] 다음 글을 읽고, 물음에 답하세요.

거미는 곤충일까요?

곤충의 몸은 크게 머리, 가슴, 배 이렇게 세 부분으로 나뉘어 있어요. 그리고 대부분 세 쌍의 다리가 있고 날개도 달려 있지요.

그러나 거미의 몸은 머리와 가슴이 하나로 되어 있어요. 곤충과 달리 머리가슴, 배 이렇게 두 부분으로 나뉘어 있지요. 그리고 다리는 네 쌍이고 날개가 없어요.

그래서 거미는 [㉠]

4 곤충에 대한 설명으로 알맞은 것에 ○표를 하세요.

(1)
• 몸이 세 부분으로 나뉨.
• 대부분 다리는 세 쌍임.
• 대부분 날개가 있음.

( )

(2)
• 몸이 두 부분으로 나뉨.
• 다리는 네 쌍임.
• 날개가 없음.

( )

5 ㉠ 안에 들어갈 말로 알맞은 것을 골라 기호를 쓰세요.

> ㉮ 곤충이랍니다.
> ㉯ 곤충이 아니랍니다.

( )

[6~7] 다음 시를 읽고, 물음에 답하세요.

> 우산 속은
> 엄마 품속 같아요.
>
> 빗방울들도
> 들어오고 싶어
>
> 두두두두
> 야단이지요.

6 이 시 속에서 날씨는 어떠한가요?( )

① 맑음.
② 눈이 내림.
③ 비가 내림.
④ 우박이 내림.
⑤ 눈이 오다가 갬.

7 빗방울들이 야단인 까닭은 무엇인지 빈칸에 알맞은 낱말을 찾아 쓰세요.

• ☐☐ 속에 들어오고 싶어서

8 다음 문장에서 밑줄 그은 부분을 바르게 고쳐 쓰세요.

> 세종 대왕이 한글을 만들기 전에는 우리나라의 글자가 <u>업써서</u> 중국의 한자로 글을 썼어요.

• 업써서 → ☐☐☐

[9~10] 다음 글을 읽고, 물음에 답하세요.

> 첫째, 사각형인 색종이를 점선을 따라 반으로 접어 삼각형을 만들어요.
> 둘째, 점선을 따라 비스듬히 위쪽으로 접어 올리고, 뒤집어서 똑같이 해요.
> 셋째, 접어 올린 색종이의 윗부분을 점선을 따라 접고, 뒤집어서 똑같이 해요.
> ☐㉠☐, 머리 부분에 색연필로 메뚜기 눈을 동그랗게 그려요.

9 그림을 보고, 메뚜기를 만드는 순서에 맞게 번호를 쓰세요.

(1)  ( )

(2)  ( )

(3) 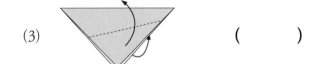 ( )

(4)  ( )

10 ☐㉠☐ 안에 들어갈 말로 알맞은 것을 골라 ○표를 하세요.

(사 , 넷째 , 네 번)

창의

1 다음 만화를 읽고, 1주차에서 배운 낱말을 떠올려 어휘 퀴즈에 알맞은 낱말을 빈칸에 각각 쓰세요.

🐻 어휘 퀴즈

❶ '어떤 사물이나 일에 관련된 사실을 밝히기 위해 그에 대해 자세히 조사하고 분석하는 일.'을 뜻하는 말은? →

❷ '옛날에는 가스레인지 대신 ○○○를 이용하였다.'의 빈칸에 들어갈 알맞은 말은?

→

❸ '뒷다리가 발달하여 잘 뛰어다니는 누런 녹색 또는 누런 갈색의 곤충.'을 뜻하는 말은?

→

코딩

2 「거미는 곤충일까?」의 내용을 떠올려 보고, 거미는 곤충인지 곤충이 아닌지 다음 순서도를 따라가며 알맞은 말에 ◯표를 하세요.

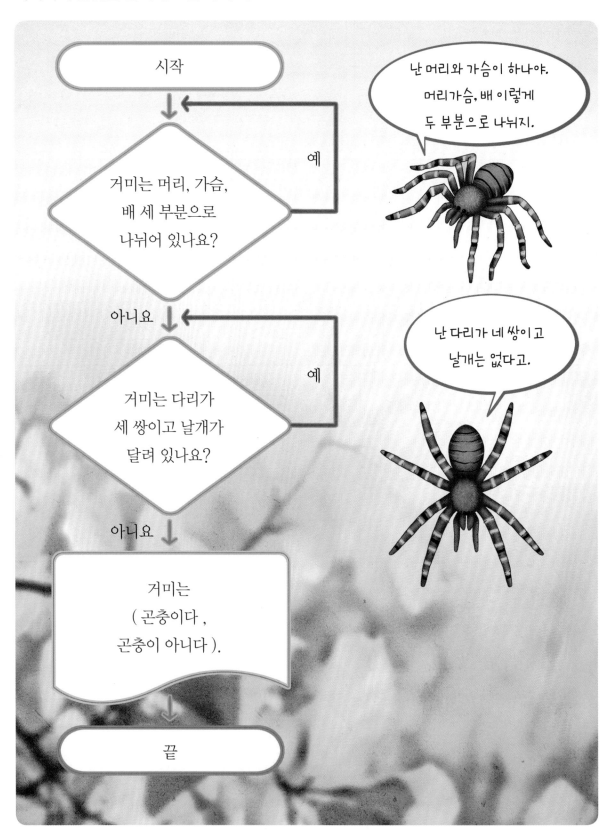

융합

3 시 「우산 속」에서 우산 속은 엄마 품속 같다고 하였어요. 다음 일기 예보를 보고 외출할 때 우산을 챙겨야 하는 날은 언제일지 달력에 ◯표를 하세요.

주간 날씨

날짜	날씨	최저(℃)	최고(℃)
9월 20/월		16	23
9월 21/화		17	24
9월 22/수		16	22
9월 23/목		14	21
9월 24/금		10	20
9월 25/토		11	21

●9월

일요일	월요일	화요일	수요일	목요일	금요일	토요일
			1	2	3	4
5	6	7	8	9	10	11
12	13	14	15	16	17	18
19	20	21 추석	22	23	24	25
26	27	28	29	30		

언제 비가 온다고 했지?

안내문을 보고, 알맞은 말에 각각 ○표를 하세요.

　　애들아, 복도는 건물 (1)(안 , 밖)에 다니게 된 통로잖아. 그러니까 운동장보다는 좁겠지. 그래서 복도에서는 뛰어다니지 말고 (2)(급하지 , 느리지) 않게 걸어 다녀야 한다는 뜻이야.

어휘 풀이 --

▼**복도**|겹칠 복 複, 길 도 道| 　건물 안에 다니게 된 통로.

　　例 복도에 상자가 많이 쌓여 있어서 지나다니기 불편하다.

▼**부딪혀** 　무엇과 무엇이 힘 있게 마주 닿게 되거나 마주 대게 되어. 또는 닿게 되거나 대게 되어.

　　例 휴대 전화를 보면서 걷다가 다른 사람과 부딪혀 넘어졌다.

▼**천천히** 　동작이나 태도가 급하지 않고 느리게. 例 비가 오자 차들이 천천히 움직였다.

창의
5

생활 한자

大(큰 대) 자에 대해 알아보고, 다음 물음에 답하세요.

大 자는 양팔을 벌린 사람의 모습을 그린 것으로, '크다'라는 뜻을 표현한 글자예요.

(1) 大 자가 들어간 낱말을 알아보고, 한자의 음을 쓰세요.

① 大型 트럭에 물건이 가득 실려 있었다.

 형

힌트
32쪽에서 공부한 '대왕'에 쓰인 大(큰 대) 자에 대해 알아보아요.

② 봄비가 내려 大地가 촉촉이 젖었다.

 지

(2) 한자 성어의 뜻을 알아보고, 빈칸에 알맞은 한자를 쓰세요.

두 친구의 힘이 거의 비슷한 것 같아!

大 同 小 異
큰 대 같을 동 작을 소 다를 이

큰 차이 없이 거의 같음.

• 두 친구의 힘이 [   ] 同 小 異 (대동소이)해서 누가 이길지 모르겠다.

2주에는
무엇을 공부할까? ❶

1-1 다음 문장에 들어갈 바른 낱말을 골라 ◯표를 하세요.

"네 몸뚱이를 (고스란이 , 고스란히) 녹여 내 몸 속으로 들어와야 해. 그래야만 별처럼 고운 꽃이 핀단다."

1-2 다음 문장에서 밑줄 그은 낱말을 바르게 고쳐 쓰세요.

힌트
글자와 똑같이 [고스란히]라고 소리 나요.

할	머	니		댁	에	는		옛
날		물	건	들	이		고	스	란
이		남	아		있	다	.

고 스 란 이 ➡ ☐ ☐ ☐ ☐

▶ 정답 및 해설 14쪽

2-1 다음 밑줄 그은 낱말의 뜻을 찾아 ○표를 하세요.

개미는 <u>사냥꾼</u>에게 다가가 사냥꾼의 발을 힘껏 물었어.

(1) 사냥하는 사람.　　　　　　　　(　　　)

(2) 사냥할 때 부리기 위하여 길들인 개.　(　　　)

힌트
'-꾼'이란 어떤 일을 잘하는 사람을 말해요.

2-2 다음 친구들이 묻고 답하기 놀이를 하고 있어요. 친구의 물음에 알맞은 답을 쓰세요.

심부름을 하는 사람을 뭐라고 하지?

심부름꾼!

그럼, 사냥하는 사람을 뭐라고 할까?

강아지똥

공부한 날   월   일

이야기에서 재미나 감동을 느낀 부분을 찾아라!

「강아지똥」을 읽고 재미나 감동을 느낀 부분을 찾아보세요.

이야기를 읽고 주인공의 특이한 행동, 자신의 경험과 비슷한 부분, 가슴이 뭉클해지는 부분 등을 살펴보면 재미나 감동을 느낀 부분을 찾을 수 있어요.

◉ 오늘 공부할 글과 그림을 미리 보고, 알맞은 낱말을 각각 찾아 표시하세요.

"내가 거름이 되다니?"
"네 몸뚱이를 고스란히 녹여 내 몸 속으로 들어와야 해. 그래야만 별처럼 고운 꽃이 핀단다."

1 '풀, 나무 등이 잘 자라게 흙에 뿌리거나 섞는 물질.'이라는 뜻의 낱말을 찾아 ○표를 하세요.

2 '조금도 줄거나 바뀐 것 없이 그대로.'라는 뜻의 낱말을 찾아 △표를 하세요.

「강아지똥」 전체 이야기 듣기

강아지똥

권정생

스스로 독해

인물의 마음을 생각하며 점선 부분을 따라 선을 그으며 읽어 보고, 재미나 감동을 느낀 부분을 찾아보세요.

"그런데 한 가지 꼭 필요한 게 있어."

민들레가 말하면서 강아지똥을 봤어요.

"……."

"네가 거름이 돼 줘야 한단다."

"내가 거름이 되다니?"

"네 몸뚱이를 고스란히 녹여 내 몸 속으로 들어와야 해. 그래야만 별처럼 고운 꽃이 핀단다."

"어머나! 그러니? 정말 그러니?"

강아지똥은 얼마나 기뻤던지 민들레 싹을 힘껏 껴안아 버렸어요.

어휘 풀이

▾ **거름** 풀, 나무 등이 잘 자라게 흙에 뿌리거나 섞는 물질. 똥, 오줌, 썩은 동물이나 식물 등이 있음.

　예 거름을 잘 주어야 농사가 잘된다.

▾ **고스란히** 조금도 줄거나 바뀐 것 없이 그대로.

　예 내가 어렸을 때 가지고 놀던 장난감은 아직도 고스란히 남아 있다.

▾ **힘껏** 있는 힘을 다하여. 또는 힘이 닿는 데까지. 예 공을 힘껏 던졌다.

1
표현

민들레는 강아지똥이 몸 속으로 들어오면 어떤 꽃이 핀다고 했는지 ⬜ 안에 알맞은 말을 골라 ○표를 하세요.

⬜ 처럼 고운 꽃

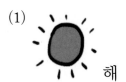 (1) 해 (2) 달 (3) 별 (4) 무지개

2
이해

서술형

민들레의 말을 들은 강아지똥의 마음은 어떠할지 쓰세요.

강아지똥은 민들레의 말을 듣고 _____

 힌트
민들레를 힘껏 껴안은 강아지똥의 행동을 통해 강아지똥의 마음을 알 수 있어요.

3
유추

스스로 독해 해결!

이 이야기를 읽고 재미나 감동을 느낀 부분을 알맞게 말한 친구를 골라 ○표를 하세요.

민들레와 강아지똥이 서로 거름이 되겠다고 싸우는 모습이 재미있었어.
윤호

자신이 있어야 꽃이 핀다는 말을 듣고 민들레를 힘껏 껴안은 강아지똥의 모습이 감동적이었어.
경미

4
요약

이 글의 내용을 정리하여 빈칸에 알맞은 말을 각각 쓰세요.

❶ ⬜⬜⬜ 는 꽃을 피우려면 ❷ ⬜⬜⬜⬜ 이 거름이 돼 줘야 한다고 말했다. 강아지똥은 그 말을 듣고 기뻐했다.

1 보기 의 '개'와 '강아지'처럼 동물과 동물의 새끼 이름이 바르게 짝 지어진 것을 골라 번호에 ○표를 하세요.

2 다음 ☐ 안에 들어갈 알맞은 문장 부호를 보기 에서 각각 찾아 쓰세요.

보기

· 설명하는 문장 끝에 쓴다. → ☐. (마침표)

· 묻는 문장 끝에 쓴다. → ☐? (물음표)

· 느낌을 나타내는 문장 끝에 쓴다. → ☐! (느낌표)

(1) 어머나 ☐

(2) 정말 그러니 ☐

(3) 강아지똥을 봤어요 ☐

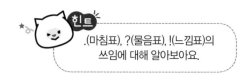

힌트
.(마침표), ?(물음표), !(느낌표)의
쓰임에 대해 알아보아요.

● 그림 조각 맞추기 놀이를 하고 있어요. 자신도 쓸모 있다는 것을 알게 된 강아지똥의 마음을 생각하며 ☐ 안에 알맞은 숫자를 써넣어 그림을 완성해 보세요.

(1) 그림 **가**를 그림판의 ☐ 에 놓기

(2) 그림 **나**를 그림판의 ☐ 에 놓기

(3) 그림 **다**를 그림판의 ☐ 에 놓기

 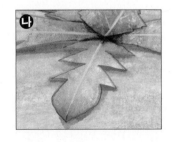 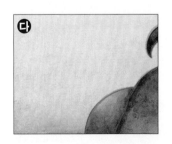

 「강아지똥」에 나오는 **인물의 마음에 어울리는 표정**을 생각하며 그림을 완성해 봅니다.

낮과 밤은 왜 생길까요?

공부한 날   월   일

원인과 결과를 찾아라!

「낮과 밤은 왜 생길까요?」를 읽으며 어떤 원인으로

낮과 밤이 생기는 결과가 나타나는지 살펴보아요.

원인은 어떤 일이 일어난 까닭을 말하고 그 원인 때문에 벌어진 일을 결과라고 해요.

낮과 밤이 생기는 까닭은 무엇인지 살펴보며 글을 읽어 보아요.

● 오늘 공부할 글의 사진과 그림을 미리 보고, 빈칸에 알맞은 낱말을 보기 에서 각각 찾아 쓰세요.

보기
공 해 지구 농구

❶

태양계의 중심에 있는 별로, '태양'을 일상적으로 이르는 말.

⑩ 낮이 되니 ○가 쨍쨍하게 비추었다.

❷

현재 우리가 살고 있는, 태양계의 셋째 행성.

⑩ ○○는 하루에 한 바퀴씩 돈다.

❸

운동이나 놀이 등에 쓰는, 가죽이나 고무, 플라스틱 따위로 둥글게 만든 물건.

⑩ 우리가 사는 곳은 ○처럼 생겼다.

낮과 밤은 어떻게 다른지 알아보기

낮과 밤은 왜 생길까요?

스스로 독해

낮과 밤은 왜 생기는 걸까요? 점선 부분을 따라 선을 그으며 읽어 보고, 답을 찾아보세요.

해가 떠 있는 낮은 밝고, 해가 진 밤은 어두워요. 낮과 밤은 왜 생기는 걸까요?

우리가 사는 지구는 공처럼 둥글게 생겼어요. 해가 비추는 밝은 쪽이 낮이고, 반대편의 어두운 쪽이 밤이지요.

지구는 하루에 한 번씩 빙글빙글 돌기 때문에 낮과 밤이 번갈아 생기는 것이랍니다.

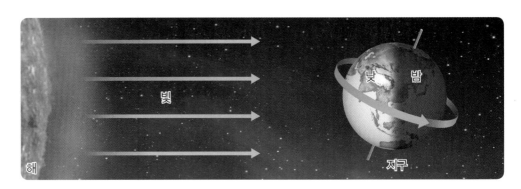

어휘 풀이

▼ **해** 태양계의 중심에 있는 별로, '태양'을 일상적으로 이르는 말. ㉔ 해가 떴으니 모두 일어나자.

▼ **진** 해나 달이 서쪽으로 넘어간. ㉔ 해가 진 서쪽 하늘이 붉게 물들었다.

▼ **지구**|땅 지 地, 공 구 球| 현재 우리가 살고 있는, 태양계의 셋째 행성.

▼ **공** 운동이나 놀이 등에 쓰는, 가죽이나 고무, 플라스틱 따위로 둥글게 만든 물건.
  ㉔ 놀이터에서 친구와 공을 주고받으며 놀았다.

▼ **비추는** 빛을 내는 것이 다른 것을 밝게 하거나 나타나게 하는.
  ㉔ 어두운 방에서 손전등이 비추는 물건만 밝게 보였다.

▼ **반대편**|돌이킬 반 反, 대할 대 對, 편할 편 便| 반대되는 방향이나 반대되는 쪽에 있는 곳.
  ㉔ 나가는 곳은 반대편입니다.

▼ **빙글빙글** 큰 것이 잇따라 미끄럽게 도는 모양. ㉔ 회전의자를 빙글빙글 돌렸다.

▼ **번**|차례 번 番|**갈아** 차례를 한 번씩 바꾸어. ㉔ 번갈아 가면서 청소 당번을 하기로 했다.

▶ 정답 및 해설 15쪽

1
이해

이 글에서 설명하고 있는 것은 무엇인가요? (   )

① 낮에 하는 일
② 밤에 하는 일
③ 낮과 밤의 길이
④ 낮과 밤이 생기는 까닭
⑤ 봄, 여름, 가을, 겨울이 생기는 까닭

2
이해

서술형

낮과 밤은 어떻게 다르다고 하였는지 쓰세요.

해가 떠 있는 낮은 밝고, 해가 진 밤은 _____

3
어휘

이 글에 나오는 '빙글빙글' 대신 쓸 수 있는 말에 ○표를 하세요.

(1) 방실방실 (   )   (2) 삥글삥글 (   )

힌트
'빙글빙글'처럼 큰 것이 잇따라 미끄럽게
도는 모양을 흉내 내는 말을 찾아보아요.

4
요약

스스로 독해 해결!

이 글에서 낮과 밤이 생기는 까닭을 정리하여 빈칸에 알맞은 말을 각각 쓰세요.

원인	❶ ☐ ☐ 가 하루에 한 번씩 돈다.

↓

결과	해가 비추는 밝은 쪽이 ❷ ☐ 이 되고, 해가 비추지 않는 반대편의 어두운 쪽이 ❸ ☐ 이 된다.

1 다음 사진에 알맞은 말을 보기 에서 각각 찾아 쓰세요.

보기

둥글다   네모나다   세모나다

(1) ☐

(2) ☐

(3) 네모나다

힌트
둥근 모양, 네모난 모양, 세모난 모양을 각각 찾아보아요.

2 다음 문장의 밑줄 그은 낱말과 뜻이 반대인 낱말을 찾아 각각 선으로 이으세요.

(1) 해가 <u>뜨</u>다.

(2) 불빛이 <u>밝</u>다.

(3) 지금은 <u>낮</u>이다.

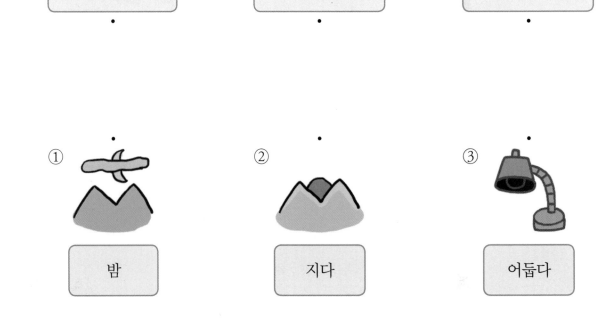

① 밤

② 지다

③ 어둡다

◉ 낮과 밤이 생기는 까닭을 알아보기 위해 실험을 해 보았어요. 다음을 보고, 빈칸에 알맞은 말을 각각 쓰세요.

자석 인형

지구를 본떠 만든 모형

지구를 본떠 만든 모형의 우리나라 위치에 자석 인형을 붙입니다.

자석 인형

지구를 본떠 만든 모형을 돌리면서 우리나라가 낮일 때와 밤일 때의 위치를 확인해 봅니다.

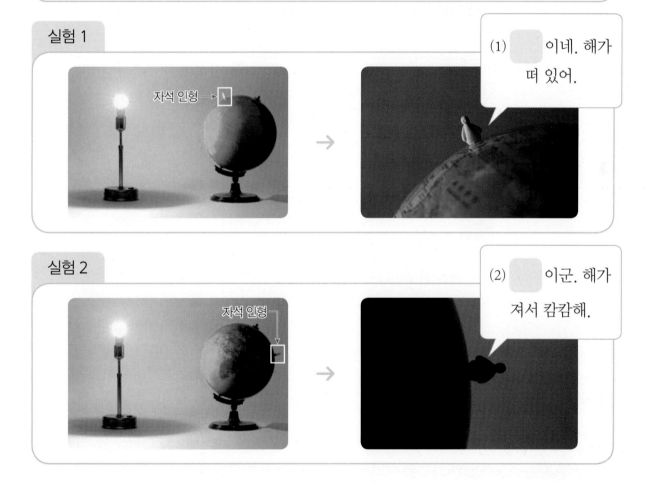

실험 1

자석 인형

(1) ☐ 이네. 해가 떠 있어.

실험 2

자석 인형

(2) ☐ 이군. 해가 져서 캄캄해.

「낮과 밤은 왜 생길까요?」의 내용을 **자석 인형을 이용한 실험**을 통해 다시 한번 확인해 봅니다.

은혜 갚은 개미

인물의 말에 어울리는 목소리를 찾아라!

「은혜 갚은 개미」에 나오는 개미의 말을 어울리는 목소리로 읽어 보세요.
이야기 속에서 인물이 어떤 상황에 있는지 살펴보고, 인물의 말과 행동을 통해
인물의 마음을 살펴보면 인물의 말에 어울리는 목소리를 알 수 있답니다.

● 오늘 공부할 글과 그림을 미리 보고, 알맞은 낱말을 각각 찾아 표시하세요.

"개미야, 정말 고맙구나!"
"아니에요. 비둘기님이 물에 빠진 저를 구해 주셨던 은혜에 보답했을 뿐인걸요."

1 '자연이나 사람이 기꺼이 베풀어 주는 도움.'이라는 뜻의 낱말을 찾아 ◯표를 하세요.

2 '남에게 받은 은혜나 고마움을 갚음.'이라는 뜻의 낱말을 찾아 △표를 하세요.

「은혜 갚은 개미」
전체 이야기
듣기

은혜 갚은 개미

스스로 독해

위험에 빠진 비둘기를 본 개미는 어떤 목소리로 말했을까요? 점선 부분을 따라 선을 그으며 읽어 보고, 답을 찾아보세요.

"비둘기님, 위험해요!"

하지만 아무리 소리를 치고 손을 흔들어도 비둘기는 이 사실을 알지 못했어. 개미가 너무 작았기 때문이지.

"큰일 났네. 이를 어쩌지?"

그 순간, 개미는 사냥꾼에게 다가가 사냥꾼의 발을 힘껏 물었어.

"아야, 따가워!"

사냥꾼의 비명 소리에 놀란 비둘기는 ㉠하늘 높이 날아갔어.

비둘기는 자신을 살려 준 개미가 무척 고마웠단다.

"개미야, 정말 고맙구나!"

"아니에요. 비둘기님이 물에 빠진 저를 구해 주셨던 은혜에 보답했을 뿐인걸요."

어휘 풀이

▼**위험**|위태할 위 危, 험할 험 險| 해를 입거나 다칠 가능성이 있어 안전하지 못함. 또는 그런 상태.
  ㉠ 불장난을 하면 위험하다.

▼**따가워**   살을 찌르는 것처럼 아파. ㉠ 가시에 찔려서 따가워!

▼**비명**|슬플 비 悲, 울 명 鳴| 크게 놀라거나 매우 괴로울 때 내는 소리.
  ㉠ 어디선가 비명 소리가 들려서 가 보니 아무도 없었다.

▼**은혜**|베풀 은 恩, 사랑 혜 惠| 자연이나 사람이 기꺼이 베풀어 주는 도움.
  ㉠ 선생님의 은혜에 정말 감사드립니다.

▼**보답**|갚을 보 報, 대답 답 答| 남에게 받은 은혜나 고마움을 갚음. ㉠ 부모님의 사랑에 보답하고 싶다.

1
유추

다음 개미의 말에 어울리는 목소리로 알맞은 것에 ○표를 하세요.

> 비둘기님,
> 위험해요!

(1) 밝고 즐거운 목소리   (   )

(2) 다급하게 소리치는 목소리   (   )

> 힌트
> 비둘기에게 위험하다고 알려
> 주어야 하는 개미의 마음에
> 어울리는 목소리를 찾아보아요.

2
이해

개미는 위험에 빠진 비둘기를 어떻게 구해 주었나요? (   )

① 나뭇잎을 떨어뜨렸다.

② 사냥꾼의 발을 물었다.

③ 사냥꾼을 물에 빠뜨렸다.

④ 다른 비둘기를 불러왔다.

⑤ 사냥꾼에게 살려 달라고 소리를 질렀다.

3
이해

서술형

비둘기가 ㉠과 같이 하늘 높이 날아간 까닭은 무엇인지 쓰세요.

> 사냥꾼의 _____에 놀랐기 때문이다.

4
요약

이 글의 내용을 정리하여 빈칸에 알맞은 말을 각각 쓰세요.

> ❶ ☐ ☐ 는 비둘기가 베풀어 준 은혜에 보답하기 위해서 사냥꾼의
>
> ❷ ☐ 을 물어 비둘기를 구해 주었다.

1 다음 빈칸에 들어갈 알맞은 말에 ◯표를 하세요.

개미가 너무 ⬚.

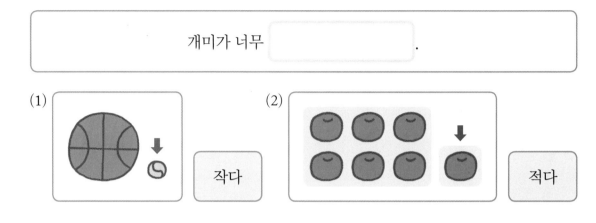

(1) 작다

(2) 적다

2 다음 빈칸에 들어갈 알맞은 말에 ◯표를 하세요.

비둘기는 자신을 살려 준 개미가 무척 고마웠단다.

"개미야, 정말 ⬚!"

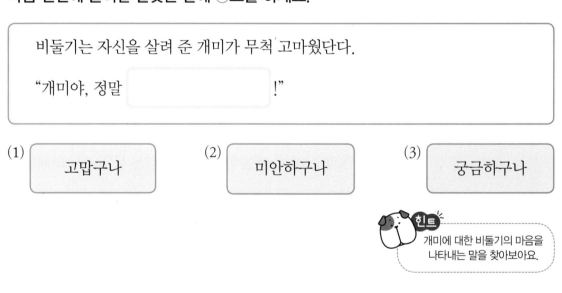

(1) 고맙구나

(2) 미안하구나

(3) 궁금하구나

힌트
개미에 대한 비둘기의 마음을
나타내는 말을 찾아보아요.

3 다음 보기 와 같이 끝말잇기를 해 보세요.

보기
음식 → 식사 → 사고 → 고장

개미 → ⬚ → ⬚ → ⬚

◉ 비둘기가 개미네 집에 놀러 가려고 해요. 갈림길의 팻말 내용에 알맞은 낱말을 따라 길을 찾아 가세요.

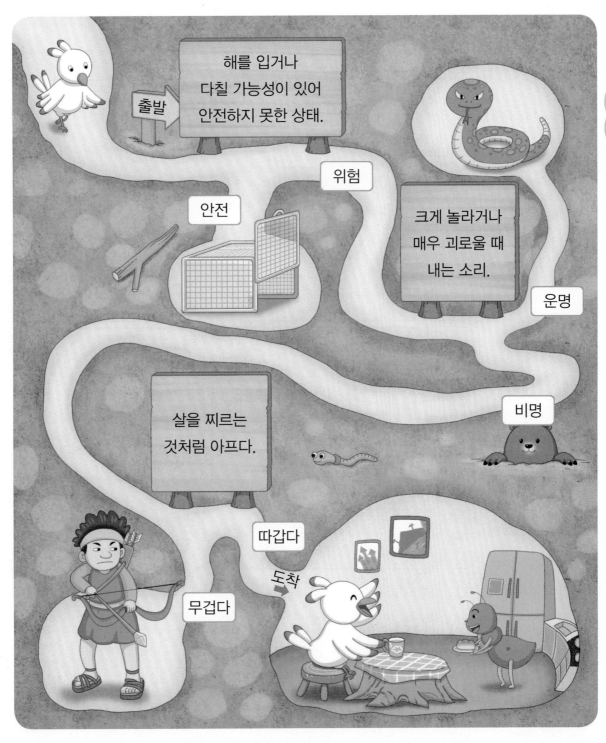

출발

해를 입거나 다칠 가능성이 있어 안전하지 못한 상태.

위험

안전

크게 놀라거나 매우 괴로울 때 내는 소리.

운명

비명

살을 찌르는 것처럼 아프다.

따갑다

도착

무겁다

🐻📢 「은혜 갚은 개미」에 나오는 **낱말의 뜻**을 생각하며 재미있게 길 찾기를 해 봅니다.

시장은 왜 생겼을까?

공부한 날   월   일

글에서 설명하는 내용을 알아보아라!

「시장은 왜 생겼을까?」를 읽고 설명하는 내용을 알아보세요.

글의 제목이 무엇인지 살펴보고, 중요한 내용이나 문장을 찾아

밑줄을 그으며 읽으면 알 수 있어요.

● 오늘 공부할 글의 그림을 미리 보고, 빈칸에 알맞은 낱말을 각각 찾아 쓰세요.

늘	직접	상하기

옛날 사람들은 물건을 ❶ [   ][   ] 가지고 다니며 필요한 물건과 물건을

└→ 중간에 다른 사람이나 물건 등이 끼어들지 않고 바로.

서로 바꾸었어요. 그런데 필요한 물건을 가진 사람을 ❷ [   ] 만날 수는 없었고

└→ 계속하여 언제나.

❸ [   ][   ][   ] 쉬운 물건을 가지고 다니기도 힘들었지요.

└→ 음식이 변하거나 썩어서 먹을 수 없게 되기.

그래서 어떻게 했을까요?

시장의 역할에
대해 알아보기

시장은 왜 생겼을까?

스스로 독해

이 글에서는 무엇에 대해 설명하고 있을까요? 점선 부분을 따라 선을 그으며 읽어 보세요.

아주 먼 옛날, 사람들은 물건을 직접 가지고 다니며 필요한 물건과 물건을 서로 바꾸었어요. 이것을 '물물 교환'이라고 해요.

그런데 물물 교환은 여간 힘든 게 아니었어요. 필요한 물건을 가진 사람을 만나야만 물건을 바꿀 수가 있는데, 그런 사람을 늘 만날 수는 없었으니까요.

또 물건을 바꾸기 위해 먼 곳까지 가야 하는 것도 힘들었어요. 특히 무겁거나 상하기 쉬운 물건은 가지고 다니기가 너무 힘들었답니다. 그래서 물건을 바꾸려는 사람들이 날짜와 장소를 정해서 만나기 시작했어요. 그렇게 해서 시장이 생긴 거예요.

어휘 풀이

▼ **직접**|곧을 직 直, 이을 접 接| 중간에 다른 사람이나 물건 등이 끼어들지 않고 바로.

▼ **물물 교환**|물건 물 物, 물건 물 物, 사귈 교 交, 바꿀 환 換| 돈을 사용하지 않고 직접 물건과 물건을 바꾸는 일.

▼ **여간**|같을 여 如, 방패 간 干| 보통의 정도로. 예 내 동생은 고집이 여간 센 것이 아니다.

▼ **늘** 계속하여 언제나. 예 아빠는 주무시기 전에 늘 책을 읽으신다.

▼ **상**|다칠 상 傷|**하기** 음식이 변하거나 썩어서 먹을 수 없게 되기. 예 상하기 전에 얼른 먹어라.

▼ **시장**|저자 시 市, 마당 장 場| 여러 가지 상품을 사고파는 곳. 예 시장에 가면 과일도 있고 생선도 있다.

▶정답 및 해설 17쪽

1
어휘

'물물 교환'의 뜻으로 알맞은 것을 골라 ○표를 하세요.

(1) 돈으로 물건을 사거나 파는 곳   (   )

(2) 서로 필요한 물건을 직접 바꾸는 것   (   )

2
이해

서술형

물물 교환은 어떤 점에서 힘들었는지 쓰세요.

_____을 가진 사람을 만나기가 힘들었고,
물건을 바꾸기 위해 먼 곳까지 가는 것도 힘들었다.

힌트
특히 무겁거나 상하기 쉬운 물건은
가지고 다니기 너무 힘들었지요.

3
이해

시장이 어떻게 생기게 되었는지 순서대로 번호를 쓰세요.

① 물건끼리 바꾸어요.
② 날짜와 장소를 정해 물건을 바꾸니까 좋네.
③ 다른 것과 바꾸어 먹을 수는 없을까?
④ 물건을 갖고 다니며 바꾸려니 힘드네.

(③) → (①) → (   ) → (   )

4
요약

스스로 독해 해결!

이 글에서 설명하는 내용이 무엇인지 생각하며 빈칸에 알맞은 말을 각각 쓰세요.

| 물건을 가지고 다니며 서로 바꾸는 ❶ □□□□ 은 힘들었다. | → | 물건을 바꾸려는 사람들이 날짜와 장소를 정해서 만나기 시작하여 ❷ □□ 이 생겼다. |

1 다음 문장에서 밑줄 그은 '늘'과 뜻이 비슷한 낱말을 골라 ◯표를 하세요.

> 필요한 물건을 가진 사람을 늘 만날 수는 없었다.

(1) 가끔　　　(2) 항상　　　(3) 전혀

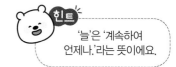

힌트
'늘'은 '계속하여 언제나.'라는 뜻이에요.

2 다음 보기 와 같이 뜻이 반대인 낱말을 각각 찾아 선으로 이으세요.

보기

여탕　여자 ↔ 남탕　남자

(1) 무거운 물건을 가지고 다녀야 한다. • 　• ① 가까운

(2) 물건을 바꾸기 위해 먼 곳까지 가야 한다. • 　• ② 가벼운

(3) 상하기 쉬운 물건을 가지고 다니기가 너무 힘들었다. • 　• ③ 어려운

● 채민이가 어머니 심부름으로 시장에 가서 물건을 샀어요. 채민이가 산 채소는 모두 몇 개일까요? 알맞은 답을 숫자로 쓰세요.

어머니: 채민아, 시장에 가서 오이 5개, 당근 3개, 가지 4개, 무 1개만 사 오너라. 다 합쳐서 모두 몇 개 사 와야 하는지 알지?

 채민이가 산 채소는 모두 ⬜ 개이다.

 「시장은 왜 생겼을까?」를 읽고 **시장의 중요성**을 생각하며 시장에서 산 **물건의 개수를 더하는 방법**을 익혀 봅니다.

여름 방학 독서 교실

공부한 날   월   일

가정 통신문에서 알려 주는 내용을 찾아라!

「여름 방학 독서 교실」을 읽고 어떤 소식을 알려 주는지 찾아보세요.

가정 통신문은 학교에서 학부모에게 알릴 내용이 있을 때 가정에 보내는 글이에요.

가정 통신문을 읽을 때에는 어떤 소식을 알려 주고 있는지 잘 찾아야 해요.

알려 주는 내용 중에서 날짜, 장소 등은 특히 중요하게 살펴보아야 한답니다.

◉ 오늘 공부할 글의 사진을 미리 보고, 빈칸에 알맞은 낱말을 각각 찾아 쓰세요.

참가	독서	신청서

학교에서 여름 방학 ❶ ☐☐ 교실에 대해 알려 주는 가정 통신문을 나눠
　　　　　　　　　　　↳책을 읽음.

주었어요. 가정 통신문을 자세히 읽어 보고 행사에 ❷ ☐☐ 하기 위한
　　　　　　　　　　　　　　　　　　　　　　↳모임이나 단체, 경기, 행사
　　　　　　　　　　　　　　　　　　　　　　　등의 자리에 가서 함께함.

❸ ☐☐☐ 를 내 볼까요?
　　↳단체나 기관 등에 어떤 사항을 요청할 때 작성하는 문서.

도서관에 대해 알아보기

스스로 독해

어떤 소식을 알려 주고 있나요? 점선 부분을 따라 선을 그으며 읽어 보세요.

천재 초등학교	여름 방학 독서 교실 20○○-41호	몸과 마음이 튼튼하고 지혜로운 어린이

안녕하십니까? 신나는 여름 방학이 다가왔습니다.

우리 학교 도서관에서는 도서관 이용 습관을 길러 주기 위해 다음과 같이 여름 방학 독서 교실을 열고자 합니다. 학생들의 많은 관심과 참가를 부탁드립니다.

1. 날짜: 20○○년 7월 31일(화)
2. 장소: 천재초등학교 2층 도서관
3. 신청: 20○○년 7월 12일(목)~13일(금), 담임 선생님께 참가 신청서 내기
4. 활동 프로그램

대상	활동 시간	활동 내용
1~3학년	오전 9:30~11:30	『강아지똥』을 읽고 주인공에게 편지 쓰기
4~6학년	오후 1:30~3:30	도서관의 책을 활용한 모둠별 놀이 하기

참가 신청서

(   )학년   (   )반   이름: (   )

'여름 방학 독서 교실' 참가를 신청합니다.

어휘 풀이

▼ **도서관** |그림 도 圖, 글 서 書, 집 관 館| 책과 자료 등을 많이 모아 두고 사람들이 빌려 읽거나 공부를 할 수 있게 마련한 시설. 예 도서관에 가서 동화책을 빌려 왔다.

▼ **독서** |읽을 독 讀, 글 서 書| 책을 읽음. 예 매일 독서를 하는 습관을 기르자.

▼ **참가** |참여할 참 參, 더할 가 加| 모임이나 단체, 경기, 행사 등의 자리에 가서 함께함.
예 독해 교실에 참가 신청서를 냈다.

▼ **신청서** |거듭 신 申, 청할 청 請, 글 서 書| 단체나 기관 등에 어떤 사항을 요청할 때 작성하는 문서.

1
어휘

다음 문장에서 밑줄 그은 '독서' 대신 쓸 수 있는 말은 무엇인지 쓰세요.

여름 방학 <u>독서</u> 교실을 열고자 합니다. → [ ] 읽기

2
유추

여름 방학 독서 교실에 참가하려면 1학년 학생은 7월 31일에 몇 시까지 학교 도서관으로 가야 할까요? (   )

① 오전 9시 30분   ② 오전 11시 30분

③ 오후 1시 30분   ④ 오후 3시 30분

⑤ 오후 4시 30분

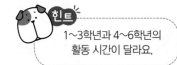
힌트
1~3학년과 4~6학년의
활동 시간이 달라요.

서술형

3
이해

여름 방학 독서 교실을 여는 까닭은 무엇인지 쓰세요.

도서관 _____을
길러 주기 위해서이다.

스스로 독해 해결!

4
요약

가정 통신문의 내용을 정리하여 빈칸에 알맞은 말을 보기 에서 각각 찾아 쓰세요.

보기

관심   참가   독서

이 글은 '여름 방학 ❶ [ ][ ] 교실'이 언제, 어디에서, 어떤 활동으로 열리는지 알려 주면서 ❷ [ ][ ] 하라고 안내하는 가정 통신문이다.

1 다음 설명을 보고 '습관'과 뜻이 비슷한 낱말을 골라 ○표를 하세요.

> 습관 여러 번 되풀이하여 몸에 밴 행동.

(1) 지혜 (   )　　(2) 버릇 (   )

2 다음 글에서 <u>잘못 쓴</u> 부분을 찾아 바르게 고쳐 쓰세요.

> 나는 독서관 이용 습관을 길러 준다는 가정 통신문을 보고 '여름 방학 독서 교실' 참가 신청서를 냈다.

(   ) → (   )

3 다음 글을 원고지에 바르게 쓰세요.

> 신나는 여름 방학이 다가왔습니다.

	신	나	는						
								.	

힌트
띄어쓰기에 주의하며
바르게 써 보아요.

● 여름 방학을 맞아 도서관에 갔어요. 다음 도서관에서 지켜야 할 예절을 보고, 바르지 <u>않</u>은 자세로 도서관을 이용하고 있는 친구 6명을 모두 찾아 ○표를 하세요.

> • 읽을 책만 꺼내 많은 사람들이 책을 읽을 수 있도록 합니다.
>
> • 자료실과 열람실에서 음식을 먹지 않습니다.
>
> • 도서관 시설을 깨끗이 사용합니다.
>
> • 혼자 많은 좌석을 차지하지 않습니다.
>
> • 작은 소리도 주변 사람들에게 피해를 줄 수 있으므로 주의합니다.
>
> • 책을 찢거나 낙서하지 않고 책장에 침을 묻히며 넘기지 않도록 합니다.

 「여름 방학 독서 교실」의 내용을 떠올리며 **도서관에서 지켜야 할 예절**을 알아봅니다.

2주

5일

[1~3] 다음 글을 읽고, 물음에 답하세요.

"그런데 한 가지 꼭 필요한 게 있어."
민들레가 말하면서 강아지똥을 봤어요.
"……."
"네가 거름이 돼 줘야 한단다."
"내가 거름이 되다니?"
"네 몸뚱이를 고스란히 녹여 내 몸 속으로 들어와야 해. 그래야만 별처럼 고운 꽃이 핀단다."
"어머나! 그러니? 정말 그러니?"
강아지똥은 얼마나 기뻤던지 민들레 싹을 힘껏 껴안아 버렸어요.

1 이 글에 나오는 인물은 누구누구인지 두 가지를 고르세요. (   )

① 고양이   ② 민들레
③ 강아지   ④ 강아지똥
⑤ 개나리꽃

2 민들레가 고운 꽃을 피우려면 강아지똥이 무엇이 돼 주어야 하는지 찾아 쓰세요.

(   )

3 민들레 싹을 힘껏 껴안은 강아지똥의 마음은 어떠할까요? (   )

① 화난 마음   ② 슬픈 마음
③ 기쁜 마음   ④ 귀찮은 마음
⑤ 서운한 마음

[4~5] 다음 글을 읽고, 물음에 답하세요.

해가 떠 있는 ㉠낮은 밝고, 해가 진 ㉡밤은 어두워요. 낮과 밤은 왜 생기는 걸까요?
우리가 사는 지구는 공처럼 둥글게 생겼어요. 해가 비추는 밝은 쪽이 낮이고, 반대편의 어두운 쪽이 밤이지요.
지구는 하루에 한 번씩 빙글빙글 돌기 때문에 낮과 밤이 번갈아 생기는 것이랍니다.

4 낱말 ㉠과 ㉡의 관계와 같은 것을 골라 ○표를 하세요.

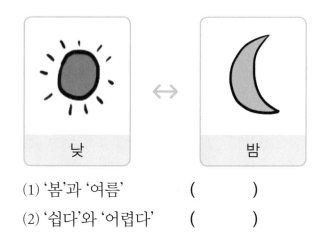

낮   밤

(1) '봄'과 '여름'   (   )
(2) '쉽다'와 '어렵다'   (   )

5 다음 중 어느 쪽이 '낮'이고 어느 쪽이 '밤'인지 각각 알맞은 것끼리 선으로 이으세요.

(1) 낮 ·   · ① 해가 비추지 않는 어두운 쪽

(2) 밤 ·   · ② 해가 비추는 밝은 쪽

▶ 정답 및 해설 18쪽

[6~7] 다음 글을 읽고, 물음에 답하세요.

> "비둘기님, 위험해요!"
>
> 하지만 아무리 소리를 치고 손을 흔들어도 비둘기는 이 사실을 알지 못했어. 개미가 너무 작았기 때문이지.
>
> "큰일 났네. 이를 어쩌지?"
>
> 그 순간, 개미는 사냥꾼에게 다가가 사냥꾼의 발을 힘껏 물었어.
>
> "아야, 따가워!"
>
> 사냥꾼의 비명 소리에 놀란 비둘기는 하늘 높이 날아갔어.
>
>

6 비둘기가 개미의 목소리를 듣지 못한 까닭으로 알맞은 말에 ○표를 하세요.

> 개미의 목소리가 너무 (작기 , 적기) 때문에

7 사냥꾼이 비명을 지른 까닭은 무엇인가요?

(   )

① 사냥꾼이 물에 빠져서
② 개미가 사냥꾼의 발을 물어서
③ 비둘기가 사냥꾼의 팔을 물어서
④ 비둘기가 사냥꾼에게 달려들어서
⑤ 개미가 사냥꾼의 손가락을 물어서

8 밑줄 그은 말의 뜻을 골라 ○표를 하세요.

> 물물 교환은 <u>여간 힘든 게 아니었어요.</u> 필요한 물건을 가진 사람을 만나야만 물건을 바꿀 수가 있는데, 그런 사람을 늘 만날 수는 없었으니까요.

(1) 매우 힘들었어요.   (   )
(2) 별로 힘들지는 않았어요.   (   )

[9~10] 다음 글을 읽고, 물음에 답하세요.

> 우리 학교 도서관에서는 도서관 이용 습관을 길러 주기 위해 다음과 같이 여름 방학 독서 교실을 열고자 합니다. 학생들의 많은 관심과 ㉠참가를 부탁드립니다.
>
> 1. 날짜: 20○○년 7월 31일(화)
> 2. 장소: 천재초등학교 2층 도서관
> 3. 신청: 20○○년 7월 12일(목)~13일(금), 담임 선생님께 참가 신청서 내기

9 이 글의 내용으로 알맞지 **않은** 것을 골라 기호를 쓰세요.

> ㉮ 신청은 7월 31일 하루 동안 받는다.
> ㉯ 참가 신청서는 담임 선생님께 낸다.

(   )

10 ㉠'참가'와 바꾸어 쓸 수 있는 낱말을 골라 ○표를 하세요.

(거부 , 참여)

2주 특강　창의·용합·코딩 ①

창의

1 다음 만화를 읽고, 2주차에서 배운 낱말을 떠올려 어휘 퀴즈에 알맞은 낱말을 빈칸에 각각 쓰세요.

어휘 퀴즈

❶ '크게 놀라거나 매우 괴로울 때 내는 소리.'를 뜻하는 말은? →

❷ '풀, 나무 등이 잘 자라게 흙에 뿌리거나 섞는 물질.'을 뜻하는 말은? →

❸ '시장이 생겨나기 전에 사람들은 ○○ ○○으로 원하는 물건을 얻었다.'에서 빈칸에 들어갈 말은? →

융합

2 「시장은 왜 생겼을까?」를 읽고 시장이 생겨난 까닭을 배웠어요. 요즘에는 홈쇼핑이나 인터넷 쇼핑과 같이 사람끼리 직접 만나지 않아도 물건을 사고팔 수 있는 시장이 생기면서 새로운 직업도 생겨났어요. 홈쇼핑 장면을 보고, 빈칸에 들어갈 말을 보기 에서 골라 쓰세요.

보기

프로그래머   우주 여행사   쇼핑 호스트   로봇 운전사

홈쇼핑 채널에서 상품에 대하여 설명하고 사람들이 상품을 사도록 하는 사람을

☐ 라고 해요.

▶ 정답 및 해설 19쪽

코딩

3 여름 방학 독서 교실에 참가하여 도서관에서 빌렸던 책을 도로 돌려주고 다른 책을 새로 빌리려고 해요. 먼저 반납 을 하는 곳에 가서 책을 돌려준 다음, 대여 를 하는 곳에서 새로운 책을 빌릴 수 있도록 코딩 카드의 빈칸에 알맞은 방향의 화살표를 그리세요.

2주
특강

창의
4 교통 표지판을 보고 알맞은 말에 ○표를 해 보세요.

생활 어휘

보행자 전용 도로

횡단보도

도로에서
볼 수 있는 교통
표지판이네.

도로를 이용할 때
지켜야 할 점을 그림으로
그려 놓은 거야.

첫 번째 표지판의 그림은 엄마랑 손잡고 가라는 뜻이 아니라 차들은 들어오면 (1)(되고 , 안 되고) 걸어 다니는 사람들만 갈 수 있는 길이라는 거야. 두 번째 표지판의 그림은 혼자 가라는 것이 아니라 이곳에서 길을 건너면 (2)(된다 , 안 된다)는 거야.

어휘 풀이 -

▼**보행자**│걸음 보 步, 다닐 행 行, 사람 자 者│ 길거리를 걸어서 다니는 사람.
　㉠ 길거리에 <u>보행자</u>를 방해하는 물건을 두면 안 된다.

▼**전용**│오로지 전 專, 쓸 용 用│ 특정한 부류의 사람만이 씀. ㉠ 군인 <u>전용</u> 병원을 만들었다.

▼**횡단보도**│가로 횡 橫, 끊을 단 斷, 걸음 보 步, 길 도 道│ 사람이 건너다닐 수 있도록 안전표지나 도로 표지를 설치하여 차도 위에 마련한 길.
　㉠ <u>횡단보도</u>를 건널 때에는 신호를 잘 지켜야 한다.

창의
5
생활 한자

地(땅 지) 자에 대해 알아보고, 다음 물음에 답하세요.

地 자는 흙과 물을 담는 주전자를 그린 것으로, '땅'이라는 뜻을 표현한 글자예요.

(1) 地 자가 들어간 낱말을 알아보고, 한자의 음을 쓰세요.

① 어머니께서는 서쪽 地方으로 출장을 가셨다.

 방

힌트
62쪽에서 공부한 '지구'에 쓰인 地(땅 지) 자에 대해 알아보아요.

② 주말에 넓은 平地에서 친구들과 축구를 하였다.

평

(2) 한자 성어의 뜻을 알아보고, 빈칸에 알맞은 한자를 쓰세요.

易 地 思 之
바꿀 역　땅 지　생각 사　갈 지

처지를 바꾸어서 생각하여 봄.

· 易 ☐ 思 之 (역지사지)로 생각해 보면 친구의 마음을 알 수 있다.

1-1 다음 밑줄 그은 '보름'은 며칠에 해당하는지 알맞은 것에 ○표를 하세요.

"임금님, 저는 다리를 다쳐서 보름 동안이나 꼼짝을 못 하였습니다."

(1일 , 15일 , 30일)

1-2 토리는 며칠 뒤에 콩이를 만나러 간다고 하였는지 숫자로 쓰세요.

콩이야,
보름 뒤에 다시 만나러 갈게.
안녕.
– 토리

힌트
'보름'은 '열닷새 동안.'이라는 뜻이에요.

(   )일

▶ 정답 및 해설 20쪽

2-1 다음 문장에 들어갈 바른 낱말을 골라 ◯표를 하세요.

깊은 산속에서 나무꾼은 무서운 호랑이를 만났어
요. 깜짝 놀란 나무꾼은 (꾀 , 꽤)를 내어 말했어요.

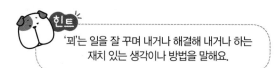

힌트
'꾀'는 일을 잘 꾸며 내거나 해결해 내거나 하는
재치 있는 생각이나 방법을 말해요.

2-2 다음 이야기에서 밑줄 그은 낱말을 바르게 고쳐 쓰세요.

자라에게 속아 용궁에
간 토끼는 자신의 간을
내놓으라고 하자, 육지에
간을 두고 왔다는 꽤를
내었다.

꽤 ➡ ☐

이야기 (문학)

구멍 난 그릇

이야기를 읽고 누가 무엇을 하였는지 찾아라!

이야기 「구멍 난 그릇」을 읽고 누가 무엇을 하였는지 찾아보세요.

이야기에 나오는 인물을 찾아 한 일을 알아보면

누가 무엇을 하였는지 찾을 수 있어요.

● 오늘 공부할 글의 그림을 미리 보고, 빈칸에 알맞은 낱말을 각각 찾아 쓰세요.

| 상 | 꾀 | 소식 | 대답 |

어느 날, 동물 나라 임금이 돼지와 토끼와 사슴한테 흙을 주었어요. 그 흙은 아

픈 상처를 치료할 수 있는 신기한 흙이에요. 임금은 이 신기한 흙으로 가장 아름

다운 그릇을 빚으면 ❶ ⬜ 을 준다고 했어요.
→잘한 일을 칭찬하기 위하여 주는 것.

이 ❷ ⬜⬜ 을 들은 동물들은 어떤 그릇을 빚었을까요?
→어떤 사람이 어떻게 지내고 있는지 알리는 말이나 글.

사슴이 빚은 그릇에 왜 구멍이 났을까?

「구멍 난 그릇」 전체 이야기 듣기

구멍 난 그릇

최은섭

스스로 독해

사슴이 염소를 위해 한 일은 무엇인가요? 점선 부분을 따라 선을 그으며 읽고, 답해 보세요.

"사슴아, 너는 어찌하여 구멍 난 그릇을 빚었느냐?"

"임금님, 저는 ㉠친구를 도와주고 싶었습니다."

사슴이 고개를 숙이며 대답하였습니다. 그때 염소가 앞으로 나서며 말하였습니다.

"임금님, 저는 다리를 다쳐서 보름 동안이나 꼼짝을 못 하였습니다. 이 소식을 들은 사슴이 자기가 빚던 그릇의 바닥을 떼어 저에게 가지고 왔습니다. 그리고 제 아픈 다리에 발라 주었습니다. 그래서 사슴의 그릇에 구멍이 생겼습니다."

염소의 말을 듣고 임금은 매우 기뻐하였습니다. 그리고 사슴한테 큰 상을 내렸습니다.

어휘 풀이

- **빚었느냐** 곡식 가루나 흙을 반죽하여 음식이나 물건을 만들었느냐. 예 이 만두를 언제 빚었느냐?
- **친구**| 친할 **친** 親, 옛 **구** 舊| 가깝게 오래 사귄 사람.
- **대답**| 대답할 **대** 對, 대답할 **답** 答| 묻는 것에 대하여 알려 줌. 또는 그런 말. 예 오빠가 묻는 말에 대답하였다.
- **꼼짝** 아주 조금 움직이는 모양. 예 누나는 감기에 걸려서 꼼짝을 못 하고 집에만 있었다.
- **소식**| 꺼질 **소** 消, 숨 쉴 **식** 息| 어떤 사람이 어떻게 지내고 있는지 알리는 말이나 글. 예 전학 간 친구와 편지로 소식을 주고받았다.
- **상**| 상 줄 **상** 賞| 잘한 일을 칭찬하기 위하여 주는 것. 예 내 동생은 피아노 대회에서 상을 받았다.

1
어휘

㉠과 바꾸어 쓸 수 있는 말은 무엇인가요? (   )

① 가족 　　　　　② 동무 　　　　　③ 친척

④ 아버지 　　　　⑤ 할아버지

2
이해

스스로 독해 해결!

사슴이 염소에게 한 일로 알맞은 것에 ○표를 하세요.

(1) 염소에게 큰 그릇을 만들어 주었다. 　　　　　(　　　)

(2) 그릇의 바닥을 떼어 염소의 아픈 다리에 발라 주었다. (　　　)

힌트
염소가 임금에게 한 말을
찾아보아요.

3
이해

서술형

염소의 말을 다 듣고 난 임금의 마음은 어떠하였는지 쓰세요.

임금은 _____

4
요약

누가 무엇을 하였는지 정리하여 빈칸에 알맞은 말을 각각 쓰세요.

　　사슴은 자기가 빚던 그릇의 바닥을 떼어 염소의
아픈 다리에 발라 주느라 구멍 난 ❶ □□ 을
빚게 되었다. 이 말을 듣고 임금은 ❷ □□ 에
게 큰 상을 내렸다.

1 다음 그림 속 친구들의 대화를 보고 관련 있는 낱말을 보기 에서 각각 찾아 쓰세요.

보기

묻다   대답하다

(1) (   )   (2) (   )

2 다음 그림을 보고 빈칸에 같이 들어갈 알맞은 말을 찾아 ○표를 하세요.

빗을   빚을   빛을

> 힌트
> '도자기나 찻잔을 만들다.'라는 뜻을
> 가진 낱말을 찾아보아요.

● 사슴이 염소의 아픈 다리를 치료하려고 염소의 집으로 가고 있어요. 갈림길의 팻말을 보고 알맞은 낱말을 찾아 선을 그으며 염소의 집을 찾아 가세요.

3주
1일

 이야기 「구멍 난 그릇」의 내용을 떠올려 보고 **뜻**에 **알맞은 낱말**을 찾아 길 찾기를 하며 이야기에 나온 낱말을 다시 한번 익혀 봅니다.

여러 가지 악기

공부한 날   월   일

글에서 무엇을 설명하는지 찾아라!

「여러 가지 악기」를 읽으며 무엇을 설명하는지 찾아보세요.

글의 제목을 살펴보고, 설명하는 대상과 설명하는 내용을
읽어 보면 찾을 수 있어요.

● 오늘 공부할 글의 사진과 그림을 미리 보고, 빈칸에 알맞은 낱말을 보기 에서 각각 찾아 쓰세요.

보기

타악기   관악기   현악기

❶

두드려서 소리를 내는 악기.
예 ○○○에는 탬버린, 드럼, 실로폰 등이 있다.

❷

줄을 손으로 튕기거나 활로 문질러서 소리를 내는 악기.
예 ○○○에는 바이올린, 기타, 첼로 등이 있다.

❸

입으로 불어서 관 안의 공기를 떨게 하여 소리를 내는 악기.
예 ○○○는 입으로 불어서 관 안의 공기를 떨게 하여 소리를 낸다.

악기에 대하여
자세히 알아보기

여러 가지 악기

스스로 독해

이 글에서 설명하는 내용은 무엇인가요? ⃝ 속 낱말을 색칠해 보세요. 이 글에서 설명하는 내용이랍니다.

세상에는 여러 가지 소리가 있습니다. 소리는 공기의 떨림을 통해서 우리 귀까지 전해집니다. 여러 가지 물건에서 나는 소리를 이용해서 악기를 만들 수 있습니다.

타악기는 두드려서 소리를 내는 악기입니다. 가죽이나 쇠 등을 두드리거나 서로 부딪쳐서 소리를 냅니다. 타악기에는 탬버린, 드럼, 실로폰 등이 있습니다.

현악기는 줄을 손으로 튕기거나 활로 문질러서 소리를 냅니다. 현악기에는 바이올린, ㉠ , 첼로 등이 있습니다.

관악기는 입으로 불어서 관 안의 공기를 떨게 하여 소리를 냅니다. 관악기에는 플루트, 클라리넷, 색소폰 등이 있습니다.

어휘 풀이

▼**악기**|풍류 악 樂, 그릇 기 器| 음악을 연주할 수 있게 만든 물건을 통틀어 이르는 말.
  例 우리는 박물관에서 옛날 악기를 보았다.

▼**타악기**|칠 타 打, 풍류 악 樂, 그릇 기 器| 두드려서 소리를 내는 악기.
  例 나는 텔레비전에서 타악기를 연주하는 것을 보았다.

▼**현악기**|악기 줄 현 絃, 풍류 악 樂, 그릇 기 器| 줄을 손으로 튕기거나 활로 문질러서 소리를 내는 악기.
  例 우리나라 현악기에는 가야금, 거문고, 아쟁, 해금 등이 있다.

▼**관악기**|피리 관 管, 풍류 악 樂, 그릇 기 器| 입으로 불어서 관 안의 공기를 떨게 하여 소리를 내는 악기.
  例 피리는 관악기이다.

1
이해

이 글에서 설명하는 내용은 무엇인가요? (   )

① 여러 가지 책   ② 여러 가지 악기   ③ 여러 가지 노래

④ 여러 가지 음식   ⑤ 여러 가지 운동

2
이해

서술형

소리는 우리 귀까지 어떻게 전해지는지 알맞은 말을 찾아 쓰세요.

소리는 _____을/를 통해서 우리 귀까지 전해진다.

3주
2일

3
유추

ㄱ 안에 들어갈 악기로 알맞은 것을 골라 ○표를 하세요.

(1)

기타 (   )

(2)

피아노 (   )

(3)

심벌즈 (   )

힌트
현악기는 줄을 손으로 튕기거나
활로 문질러서 소리를 내요.

4
요약

이 글의 내용을 정리하여 빈칸에 알맞은 말을 각각 쓰세요.

여러 가지 악기

❶ ☐☐☐	현악기	관악기
가죽이나 쇠 등을 두드리거나 서로 부딪쳐서 소리를 낸다.	줄을 손으로 튕기거나 활로 문질러서 소리를 낸다.	❷ ☐ 으로 불어서 관 안의 공기를 떨게 하여 소리를 낸다.

1 다음 친구가 하고 있는 일은 무엇인지 알맞은 낱말을 찾아 ○표를 하세요.

친구가 (악기 , 악보)를 연주하고 있어요.

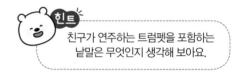
친구가 연주하는 트럼펫을 포함하는
낱말은 무엇인지 생각해 보아요.

2 다음을 보고, 악기의 종류에 알맞지 <u>않은</u> 악기에 각각 ×표를 하세요.

타악기 가죽이나 쇠 등을 두드리거나 서로 부딪쳐서 소리를 내는 악기.
현악기 줄을 손으로 튕기거나 활로 문질러서 소리를 내는 악기.
관악기 입으로 불어서 관 안의 공기를 떨게 하여 소리를 내는 악기.

(1) 타악기   탬버린   드럼   트럼펫

(2) 현악기   트라이앵글   바이올린   기타

(3) 관악기   플루트   리코더   실로폰

● 노래 「동물 농장」은 동물들의 울음소리를 재미있게 나타내었어요. 노랫말을 읽어 보고 동물들의 울음소리를 나타낸 말들을 각각 찾아 쓰세요.

동물 농장

닭장 속에는 암탉이 (꼬꼬댁)
문간 옆에는 거위가 (꽥꽥꽥)
배나무 밑엔 염소가 (매)
외양간에는 송아지 (음매)

닭장 속에는 암탉들이
문간 옆에는 거위들이
배나무 밑엔 염소들이
외양간에는 송아지

오히야하 오
오히야하 오

암탉

염소

거위

송아지

(1) (   ) (2) (   ) (3) (   ) (4) (   )

「여러 가지 악기」에 나오는 악기들의 다양한 소리를 떠올려 보고 **동물들의 울음소리를 나타낸 말**을 찾아봅니다.

호랑이 형님

공부한 날   월   일

글을 읽으며 인물의 동작이나 표정을 상상해 보자!

「호랑이 형님」을 읽고 인물의 동작이나 표정을 상상해 보세요.

희곡은 인물이 하는 말과 동작이나 표정 등을 나타낸 부분

등으로 이루어져 있는 글이에요. 희곡을 읽을 때

동작이나 표정을 나타내는 말을 찾아보면 재미있게 읽을 수 있어요.

● 오늘 공부할 글의 그림을 미리 보고, 빈칸에 알맞은 낱말을 각각 찾아 쓰세요.

| 떡 | 꾀 | 고양이 | 나무꾼 |

❶ ☐☐☐ 이 산속에서 무서운 호랑이를 만났어요. 깜짝 놀란 나무꾼

　　 ↳ 땔나무를 하는 사람.

은 ❷ ☐ 를 내어 말했어요. 나무꾼이 낸 꾀는 무엇일까요?

　↳ 일을 잘 꾸며 내거나 해결해 내거나 하는 재치 있는 생각이나 방법.

희곡에 대하여 알아보기

호랑이 형님

스스로 독해

나무꾼이 한 거짓말을 듣고 호랑이가 어떤 표정을 지었을까요? 점선 부분을 따라 선을 그으며 읽어 보고, 호랑이의 표정을 상상해 보아요.

　나무꾼이 땔감을 마련하려고 산에 갔어요. 깊은 산속에서 나무꾼은 무서운 호랑이를 만났어요. 깜짝 놀란 나무꾼은 꾀를 내어 말했어요.

나무꾼: (호랑이와 거리를 두며) 형님, 드디어 만났군요!

호랑이: 무슨 소리? 내가 네 형님이라고?

나무꾼: 네. 형님은 호랑이 탈을 쓰고 태어나서 마을에서 쫓겨났대요.

호랑이: (깜짝 놀라며) 그게 정말이냐?

나무꾼: 네, 어머님은 형님이 보고 싶어서 매일 밤 잠을 못 이루고 계세요.

호랑이: (㉠) 그래? 내가 어머님께 큰 잘못을 했구나!

어휘 풀이

▼ **나무꾼** 땔나무를 하는 사람. 예 깊은 산속에 나무꾼이 살았다.

▼ **땔감** 불을 때는 데 쓰는 재료. 예 땔감을 찾아 하루 종일 돌아다녔다.

▼ **꾀** 일을 잘 꾸며 내거나 해결해 내거나 하는 재치 있는 생각이나 방법.

　예 누나는 꾀가 많은 편이다.

▼ **탈** 얼굴을 감추거나 달리 꾸미기 위하여 나무, 종이, 흙 따위로 만들어 얼굴에 쓰는 물건.

▲ 탈

1
어휘

다음 낱말 중 바르게 쓴 낱말에 ○표를 하세요.

| 나 | 무 | 꾼 | (　　　) | | 나 | 뭇 | 꾼 | (　　　) |

2
이해

서술형

나무꾼이 산에 간 까닭은 무엇인지 쓰세요.

나무꾼이 _____ 산에 갔다.

3
유추

스스로 독해 해결!

㉠에 들어갈 호랑이의 표정으로 가장 알맞은 것을 골라 번호에 ○표를 하세요.

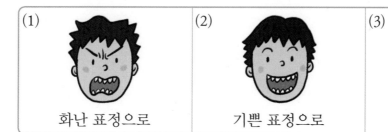

| (1) 화난 표정으로 | (2) 기쁜 표정으로 | (3) 슬픈 표정으로 |

힌트
호랑이는 어머님께 큰
잘못을 했다고 말했어요.

4
요약

이 글의 내용을 정리하여 빈칸에 알맞은 말을 각각 쓰세요.

❶ 　　　　　이 깊은 산속에서 무서운 호랑이를 만났다. 깜짝 놀란 나무꾼은 꾀를 내어 호랑이를 형님이라고 불렀다.

나무꾼은 호랑이가 자기의 형님인데, 호랑이 ❷ 　　　을 쓰고 태어나서 마을에서 쫓겨났고, 어머님은 형님이 보고 싶어서 매일 밤 잠을 못 이루고 계신다고 거짓말을 하였다.

1 다음 문장에서 밑줄 그은 낱말과 뜻이 비슷한 낱말을 보기 에서 찾아 쓰세요.

> 보기
>
> 가면   사진   모자

우리는 연극을 하기 위해 호랑이 탈을 만들었다.

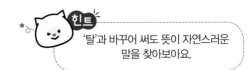

힌트
'탈'과 바꾸어 써도 뜻이 자연스러운 말을 찾아보아요.

2 다음 설명을 잘 읽고, 빈칸에 알맞은 말을 각각 쓰세요.

'-꾼'	다른 말 뒤에 붙어서 그 일을 잘하는 사람이나 그 일 때문에 모인 사람 등을 뜻하는 말이다.

(1)

재주가 많거나 뛰어난 사람.

☐ ☐ 꾼

(2)

씨름을 잘하는 사람.

☐ ☐ 꾼

● 「호랑이 형님」에 이어질 내용은 무엇인지 뒷부분의 내용을 살펴보고, 숨어 있는 그림을
모두 찾아 ○표를 하세요.

나무꾼이 산에서 또 호랑이를 만났습니다. 나무꾼은 점심으로 싸 온 떡을 어머니께서 싸 주셨다며 호랑이에게 주었습니다.

숨어 있는 그림 연필, 우산, 가위, 고추, 모자

「호랑이 형님」의 내용을 떠올리며 **뒷부분의 내용**을 살펴보고 **숨어 있는 그림**도 찾아봅니다.

결혼식 때 왜 국수를 먹었을까요?

글을 읽고 까닭을 찾아라!

「결혼식 때 왜 국수를 먹었을까요?」를 읽어 보고
결혼식 때 국수를 먹는 까닭을 찾아보세요.
결혼식 때 먹는 국수에 담긴 의미와 설명하는 내용을
찾으면 알 수 있어요.

● 오늘 공부할 글과 그림을 미리 보고, 알맞은 낱말을 각각 찾아 표시하세요.

옛날에는 국수가 무척 귀한 음식이었고, 길이가 긴 국수를 먹으면 오래 살 수 있다고 생각했습니다.

1 '다른 것보다 매우.'라는 뜻의 낱말을 찾아 ○표를 하세요.

2 '흔하지 않아 구하거나 얻기가 어려운.'이라는 뜻의 낱말을 찾아 △표를 하세요.

국수 문화에
대하여 알아보기

결혼식 때 왜 국수를 먹었을까요?

스스로 독해

결혼식 때 국수를 먹는 까닭은 무엇일까요? 점선 부분을 따라 선을 그으며 읽어 보고, 그 까닭을 정리해 보세요.

국수는 밀가루, 메밀가루, 감자 가루 따위를 반죽한 다음, 반죽을 손이나 기계 따위로 가늘고 길게 뽑아내어 삶아 만든 음식을 말합니다. 옛날에는 결혼식 때 국수를 나누어 먹었는데 그 까닭은 무엇일까요?

옛날에는 국수가 무척 ㉠귀한 음식이었고, 길이가 긴 국수를 먹으면 오래 살 수 있다고 생각했습니다. 그래서 손님들에게 귀한 음식을 대접하려는 마음과 신랑, 신부가 오래도록 함께 잘 살기를 바라는 마음으로 결혼식 때 국수를 나누어 먹은 것입니다.

어휘 풀이

▼**무척** 다른 것보다 매우. 예) 그들은 무척 기뻐하였다.

▼**귀**|귀할 귀 貴|**한** 흔하지 않아 구하거나 얻기가 어려운. 예) 이것은 귀한 산삼이다.

▼**대접**|기다릴 대 待, 접할 접 接| 음식을 차려 손님에게 베풂.

　예) 누나는 집으로 찾아온 손님에게 식사 대접을 하였다.

▼**신랑**|새 신 新, 사내 랑 郞| 결혼식 날에 결혼하는 남자. 또는 갓 결혼한 남자.

　예) 신랑은 결혼식 내내 싱글벙글 웃었다.

▼**신부**|새 신 新, 며느리 부 婦| 결혼식 날에 결혼하는 여자. 또는 갓 결혼한 여자.

　예) 신부는 화장을 하느라고 결혼식장에 늦게 도착하였다.

▶정답 및 해설 23쪽

1
이해

국수를 만드는 순서대로 번호를 쓰세요.

> (1) 가늘고 길게 뽑아낸 반죽을 삶는다.   (   )
>
> (2) 밀가루, 메밀가루, 감자 가루 따위를 반죽한다.   (   )
>
> (3) 반죽을 손이나 기계 따위로 가늘고 길게 뽑아낸다.   (   )

2
어휘

다음 중 ㉠과 뜻이 반대인 말은 무엇인가요? (   )

① 쉬운   ② 흔한   ③ 복잡한

④ 소중한   ⑤ 최대한

3
이해

[서술형]

옛날에는 국수를 어떻게 생각하였는지 알맞은 말을 찾아 쓰세요.

> 길이가 긴 국수를 먹으면 _____고 생각했다.

[힌트]
길이가 긴 국수의 특성을
생각해 보아요.

4
요약

[스스로 독해 해결!]

결혼식 때 국수를 먹은 까닭을 정리하여 빈칸에 알맞은 말을 각각 쓰세요.

> 손님들에게 귀한 ❶ ☐ ☐
> 을 대접하려는 마음
>
> ＋
>
> 신랑, ❷ ☐ ☐ 가 오래도록
> 함께 잘 살기를 바라는 마음

→

> 결혼식 때 국수를 나누
> 어 먹음.

▶ 정답 및 해설 23쪽

1 다음 그림을 보고 알맞은 낱말에 각각 ○표를 하세요.

(1) (가늘다 , 굵다)

(2) (가늘다 , 굵다)

(3) (길다 , 짧다)

(4) (길다 , 짧다)

2 다음 보기 처럼 끝말잇기를 해 보세요.

보기

| 음식 | ➡ | 식당 | ➡ | 당근 | ➡ | 근육 |

| 국수 | ➡ | | ➡ | | ➡ | |

힌트
끝말잇기 놀이에서는 앞의 낱말 끝 글자와
뒤의 낱말 첫 글자가 같아요.

● 결혼식 때 국수를 먹는 까닭에 대하여 알아보았어요. 그러면 우리 조상들이 특별한 날에 먹는 음식에는 무엇이 있을지 다음을 보고 빈칸에 알맞은 숫자를 쓰세요.

설날	설날은 음력 1월 ⬜ 일로 떡국을 먹는 날이에요.
대보름날	대보름날은 음력 ⬜ 월 15일로 오곡밥을 먹는 날이에요.
추석	추석은 음력 ⬜ 월 15일로 송편을 먹는 날이에요.
동지	동지는 12월 22일 또는 23일로 팥죽을 먹는 날이에요.

빈칸에 쓴 숫자를 모두 더하면 ⬜ 이에요.

 「결혼식 때 왜 국수를 먹었을까요?」의 내용을 떠올리며 **우리 조상들이 특별한 날에 먹었던 음식**에 대하여 알아보고 덧셈도 연습해 봅니다.

올바른 손 씻기 방법

공부한 날   월   일

글에서 알려 주는 내용을 찾아라!

「올바른 손 씻기 방법」을 읽고 알려 주는 내용을 찾아보세요.

알려 주려는 대상이 무엇인지 알아보고 주의할 점, 방법 등을

살펴보면 알려 주는 내용을 찾을 수 있어요.

● 오늘 공부할 글과 그림을 미리 보고, 알맞은 낱말을 각각 찾아 표시하세요.

손 씻기 방법을 알아 보고 손을 깨끗이 씻어 각종 질병에 걸리는 것을 예방합시다.

1 '몸에 생기는 병.'이라는 뜻의 낱말을 찾아 ○표를 하세요.

2 '병이나 사고 등이 일어나지 않게 미리 막는 일.'이라는 뜻의 낱말을 찾아 △표를 하세요.

건강한 생활을
위한 방법
알아보기

스스로 독해

이 글에서 알려 주는 내용은 무엇인가요? 점선 부분을 따라 선을 그으며 알려 주는 내용을 찾아보세요.

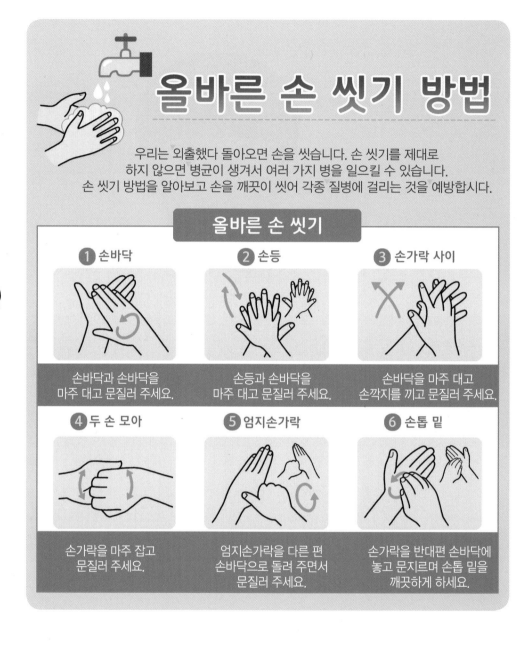

올바른 손 씻기 방법

우리는 외출했다 돌아오면 손을 씻습니다. 손 씻기를 제대로 하지 않으면 병균이 생겨서 여러 가지 병을 일으킬 수 있습니다. 손 씻기 방법을 알아보고 손을 깨끗이 씻어 각종 질병에 걸리는 것을 예방합시다.

올바른 손 씻기

1 손바닥

손바닥과 손바닥을 마주 대고 문질러 주세요.

2 손등

손등과 손바닥을 마주 대고 문질러 주세요.

3 손가락 사이

손바닥을 마주 대고 손깍지를 끼고 문질러 주세요.

4 두 손 모아

손가락을 마주 잡고 문질러 주세요.

5 엄지손가락

엄지손가락을 다른 편 손바닥으로 돌려 주면서 문질러 주세요.

6 손톱 밑

손가락을 반대편 손바닥에 놓고 문지르며 손톱 밑을 깨끗하게 하세요.

어휘 풀이

▼ **외출** | 바깥 외 外, 날 출 出 | 볼일을 보기 위해 집이나 회사에서 잠시 밖으로 나감. 예 외출 금지

▼ **병균** | 병들 병 病, 버섯 균 菌 | 사람이나 동물, 식물의 몸에 병을 일으키는 세균.
　　예 처음부터 그 병원에 병균이 있었다.

▼ **질병** | 병 질 疾, 병들 병 病 | 몸에 생기는 병. 예 누나는 어려서부터 몸이 약해 여러 가지 질병에 걸렸다.

▼ **예방** | 미리 예 豫, 막을 방 防 | 병이나 사고 등이 일어나지 않게 미리 막는 일.
　　예 병은 치료하는 것보다 예방이 더 중요하다.

▶ 정답 및 해설 24쪽

1
이해

이 글에서 알려 주는 내용은 무엇인가요? (　　　　)

① 약 먹는 방법
② 이 닦는 방법
③ 손톱 깎는 방법
④ 화장실 이용 방법
⑤ 올바른 손 씻기 방법

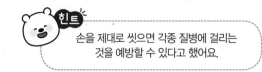

힌트
손을 제대로 씻으면 각종 질병에 걸리는
것을 예방할 수 있다고 했어요.

2
이해

서술형

손 씻기를 제대로 하지 않으면 어떻게 된다고 하였는지 쓰세요.

손 씻기를 제대로 하지 않으면 _____

_____ 여러 가지 병을 일으킬 수 있다.

3주
5일

3
요약

손 씻는 방법을 정리하여 빈칸에 알맞은 말을 각각 쓰세요.

손바닥	❶ ☐☐☐ 과 손바닥을 마주 대고 문질러 준다.
손등	손등과 손바닥을 마주 대고 문질러 준다.
손가락 사이	손바닥을 마주 대고 손깍지를 끼고 문질러 준다.
두 손 모아	손가락을 마주 잡고 문질러 준다.
엄지손가락	엄지손가락을 다른 편 손바닥으로 돌려 주면서 문질러 준다.
손톱 밑	손가락을 반대편 손바닥에 놓고 문지르며 ❷ ☐☐ 밑을 깨끗하게 한다.

▶ 정답 및 해설 24쪽

1 다음 그림을 보고 「올바른 손 씻기 방법」의 내용에 알맞은 낱말을 찾아 ○표를 하세요.

우리는 외출했다 돌아오면 손을 깨끗하게 (씻습니다 , 씻습니다).

힌트
더러운 것을 물로 문질러 깨끗하게 하고 있어요.

2 다음 그림의 빈칸에 들어갈 알맞은 낱말을 보기 에서 각각 찾아 쓰세요.

보기

손등 손의 바깥쪽. 곧 손바닥의 뒤.

손톱 손가락 끝에 붙어 있는 딱딱하고 얇은 조각. 손가락 끝을 보호하는 역할을 함.

손바닥 손의 안쪽. 곧 손금이 새겨진 쪽.

손가락 손끝에 가늘고 길게 달려 있어 굽혔다 폈다 할 수 있고 물건을 잡을 수 있는 다섯 개로 갈라진 부분.

(1)

(3)

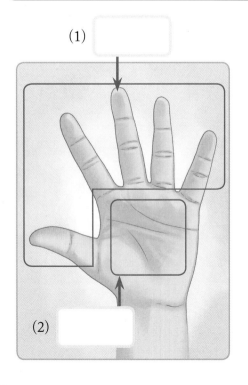

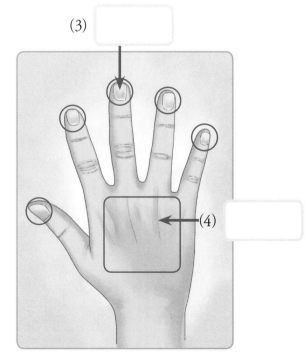

(2)

(4)

◉ 건강한 생활을 위해 우리가 할 수 있는 행동을 알아보아요. 건강한 생활을 위한 알맞은 그림을 찾아 ○표를 하고, 손가락이 가리키는 낱자를 찾아 빈칸에 알맞은 글자를 쓰세요.

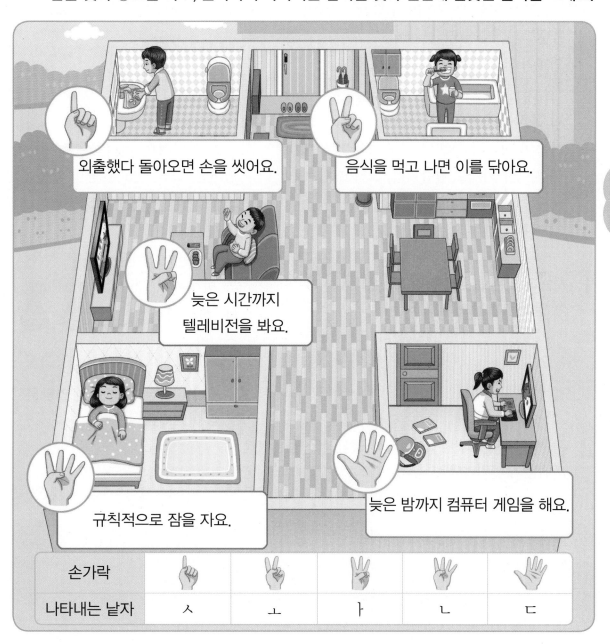

손가락					
나타내는 낱자	ㅅ	ㅗ	ㅏ	ㄴ	ㄷ

 ▢ 을 깨끗이 씻어 각종 질병에 걸리는 것을 예방합시다.

「올바른 손 씻기 방법」의 내용을 떠올리며 **건강한 생활을 위해 우리가 할 수 있는 행동**에 대하여 더 알아봅니다.

[1~3] 다음 글을 읽고, 물음에 답하세요.

(가) "사슴아, 너는 어찌하여 구멍 난 그릇을 빚었느냐?"

(나) 염소가 앞으로 나서며 말하였습니다.

"임금님, 저는 다리를 다쳐서 보름 동안이나 꼼짝을 못 하였습니다. 이 소식을 들은 사슴이 자기가 ㉠빚던 그릇의 바닥을 떼어 저에게 가지고 왔습니다. 그리고 제 아픈 다리에 발라 주었습니다. 그래서 사슴의 그릇에 구멍이 생겼습니다."

1 사슴이 빚은 그릇은 어떤 그릇인지 (   ) 안에 알맞은 말을 쓰세요.

• (   ) 난 그릇

2 사슴이 자기가 빚던 그릇의 바닥을 떼어 낸 까닭은 무엇인가요? (   )

① 그릇의 바닥이 갈라져서
② 그릇의 바닥이 필요 없어서
③ 염소의 아픈 다리를 낫게 하려고
④ 그릇의 바닥을 빚는 게 어려워서
⑤ 염소가 만드는 그릇에 붙여 주려고

3 ㉠을 넣어 문장을 알맞게 쓴 것을 골라 ○표를 하세요.

(1) 할머니가 빚던 도자기   (   )

(2) 동생의 머리를 빗던 빗   (   )

[4~5] 다음 글을 읽고, 물음에 답하세요.

타악기는 두드려서 소리를 내는 악기입니다. 가죽이나 쇠 등을 두드리거나

▲ 드럼

서로 부딪쳐서 소리를 냅니다. 타악기에는 탬버린, 드럼, 실로폰 등이 있습니다.

현악기는 줄을 손으로 튕기거나 활로 문질러서 소리를 냅니다. 현악기에는 바이올린, 기타, 첼로 등이 있습니다.

▲ 바이올린

4 소리를 내는 방법으로 알맞은 것끼리 선으로 이으세요.

(1) 타악기 •

(2) 현악기 •

• ① 두드리거나 서로 부딪침.

• ② 줄을 손으로 튕기거나 활로 문지름.

5 악기의 종류가 <u>다른</u> 하나를 골라 기호를 쓰세요.

㉮ 기타   ㉯ 첼로
㉰ 드럼   ㉱ 바이올린

(   )

▶정답 및 해설 24쪽

[6~7] 다음 글을 읽고, 물음에 답하세요.

> 나무꾼: (호랑이와 거리를 두며) 형님, 드디어 만났군요!
> 호랑이: 무슨 소리? 내가 네 형님이라고?
> 나무꾼: 네. 형님은 호랑이 탈을 쓰고 태어나서 마을에서 쫓겨났대요.
> 호랑이: (깜짝 놀라며) 그게 정말이냐?
> 나무꾼: 네, 어머님은 형님이 보고 싶어서 매일 밤 잠을 못 ㉠이루고 계세요.

6 나무꾼은 호랑이가 마을에서 왜 쫓겨났다고 하였는지 알맞은 것에 ○표를 하세요.

(1) 사람들이 잡으려고 해서 ( )

(2) 호랑이 탈을 쓰고 태어나서 ( )

(3) 마을 사람들을 자꾸 해쳐서 ( )

7 ㉠과 바꾸어 쓸 수 있는 말은 무엇인가요?

( )

① 세고   ② 자고   ③ 원하고

④ 미루고   ⑤ 말하고

[8~9] 다음 글을 읽고, 물음에 답하세요.

> 옛날에는 국수가 무척 귀한 음식이었고, 길이가 긴 국수를 먹으면 오래 살 수 있다고 생각했습니다. 그래서 손님들에게 귀한 음식을 대접하려는 마음과 신랑, 신부가 오래도록 함께 잘 살기를 바라는 마음으로 결혼식 때 국수를 나누어 먹은 것입니다.

8 옛날에는 결혼식 때 무엇을 나누어 먹었는지 쓰세요.

( )

9 위 8에서 답한 음식을 나누어 먹는 까닭으로 알맞지 않은 것을 골라 기호를 쓰세요.

> ㉮ 손님들에게 귀한 음식을 대접하려고
> ㉯ 신랑, 신부가 오래도록 함께 잘 살기를 바라서
> ㉰ 많은 사람들을 한꺼번에 대접하기에 어려운 음식이어서

( )

10 손을 가장 잘 씻은 친구에 ○표를 하세요.

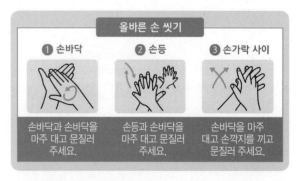

올바른 손 씻기
❶ 손바닥	❷ 손등	❸ 손가락 사이
손바닥과 손바닥을 마주 대고 문질러 주세요.	손등과 손바닥을 마주 대고 문질러 주세요.	손바닥을 마주 대고 손깍지를 끼고 문질러 주세요.

(1) 세윤: 세면대에 물을 가득 담아서 손을 담갔다가 뺐어. ( )

(2) 호연: 손가락 사이는 문지르지 않고 물로만 씻었어. ( )

(3) 제인: 손바닥과 손등, 손가락 사이까지 열심히 문질러서 씻었어. ( )

1 다음 만화를 읽고, 3주차에서 배운 낱말을 떠올려 어휘 퀴즈에 알맞은 낱말을 빈칸에 각각 쓰세요.

▶ 정답 및 해설 25쪽

3주
특강

어휘 퀴즈

❶ '불을 때는 데 쓰는 재료.'를 뜻하는 말은? →

❷ '땔나무를 하는 사람.'을 뜻하는 말은? →

❸ '손님에게 정성껏 차린 저녁을 ○○하였다.'의 빈칸에 들어갈 말은? →

융합

2　옛날에는 결혼식 때 국수를 나누어 먹었다는 것을 배웠어요. 듬이는 자신의 소셜 네트워크 서비스(SNS)에 우리의 전통 음식을 올려 많은 친구들과 나누고 싶어요. 어떤 사진을 더 올리면 좋을지 알맞은 것을 골라 ○표를 하세요.

듬이　Seoul

FOLLOW

좋아요 1,759개

듬이 오늘 점심은 비빔밥!
버섯, 무나물, 콩나물, 시금치, 상추 넣고 밥 비비기!

#한국전통음식 #비빔밥 #우리것은좋은것이여 #영양도많고맛도좋고 #마지막에참기름한방울

(1) 스시 (　　　)　　　(2) 피자 (　　　)　　　(3) 삼계탕 (　　　)

▶ 정답 및 해설 25쪽

코딩

3 「올바른 손 씻기 방법」을 읽고 손을 씻는 방법에 대해서 배웠지요? 이번에는 도자기 체험 교실에 온 해인이네 가족이 입구에서 손을 씻고 체온을 잰 다음, 도자기 체험 교실로 들어서려고 해요. 해인이네 가족이 교실로 들어가기 위한 알맞은 코딩 블록에 ○표를 하세요.

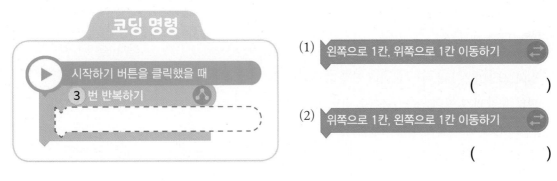

(1) 왼쪽으로 1칸, 위쪽으로 1칸 이동하기

(   )

(2) 위쪽으로 1칸, 왼쪽으로 1칸 이동하기

(   )

창의

4 다음 안내문을 보고 알맞은 낱말에 ○표를 하세요.

생활 어휘

미술관 방문 시 꼭 지켜 주세요!

 아이와 함께하실 경우 전시장 내에서는 아이의 손을 잡고 눈으로만 관람할 수 있게 부탁드립니다.

 실내에서는 사진 촬영을 금지합니다. 이 점 참고하시고 관람하세요.

 반려동물 출입 및 장난감 반입이 불가합니다.

 작품을 만지거나 너무 가까이 가면 안 됩니다.

 미술관에서 지켜야 할 점이 많아.

 무엇을 하면 안 되는지 살펴보자.

애들아, 이 안내문은 미술관에 가서 지켜야 하는 내용을 알려 주는 글이야. 실내에서는 사진 촬영을 하면 안 된다고 했으니까 미술관 (1)(안 , 밖)에서는 사진을 찍으면 안 돼. 그리고 미술관에 반려동물의 출입이나 장난감 반입은 불가하다고 했으니까 미술관 안에 데려가거나 가지고 갈 수 (2)(있어 , 없어).

어휘 풀이

▽ **실내**|집 실 室, 안 내 內|　방이나 건물 따위의 안. 예 학교에 <u>실내</u> 수영장이 생겼다.

▽ **반입**|옮길 반 搬, 들 입 入|　물건을 어느 곳의 안으로 운반하여 들여옴.
　　예 이곳은 음식물 <u>반입</u>이 가능하다.

▽ **불가**|아닐 불 不, 옳을 가 可|　옳지 않거나 할 수 없음. 예 이 일의 결과는 예측이 <u>불가</u>하다.

▶ 정답 및 해설 25쪽

창의
5
생활 한자

出(날 출) 자에 대해 알아보고, 다음 물음에 답하세요.

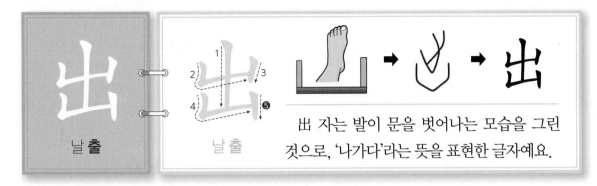

出 자는 발이 문을 벗어나는 모습을 그린 것으로, '나가다'라는 뜻을 표현한 글자예요.

(1) 出 자가 들어간 낱말을 알아보고, 한자의 음을 쓰세요.

① 호랑이가 동물원에서 脫出하였다.

힌트
122쪽에서 공부한 '외출'에 쓰인 出(날 출) 자에 대해 알아보아요.

② 우리는 出發한 지 한 시간 만에 전주에 도착하였다.

(2) 한자 성어의 뜻을 알아보고, 빈칸에 알맞은 한자를 쓰세요.

杜 門 不 出
막을 두   문 문   아닐 불   날 출

집 안에만 틀어박혀 밖으로 나다니지 않음.

• 누나는 책을 한 번 읽으면  (두문불출)할 정도로 집중해서 읽는다.

4주

4주에는 무엇을 공부할까? ❶

나무늘보는 정말 답답해.

미호야, 왜 그래?

아니, 나무늘보가 옆 마을에 갈 일이 있다길래 부탁한 게 있는데 아직도 안 가고 잠만 자잖아. 매번 하는 짓이 굼뜨고 꺼벙이 같아!

미호야, 「꺼벙이 억수」를 읽어 봐. 억수도 겉보기에는 꺼벙이 같아도 마음씨가 정말 착한 친구거든.

그런데 나무늘보에게 무슨 부탁을 했는데?

옆 마을에 사시는 할머니께서 김장을 했다고 김치를 가져가라고 하셨거든.

김장을 왜 하신 거야?

그래야 겨울 내내 김치를 먹을 수 있으니까. 「김장을 담가요」를 읽으면 알 수 있어.

그럼 미호야, 내가 대신 가져다줄 테니까 나 김치 조금만. 헤헤헤.

아니, 미호야, 내가 가져다줄게!

너 그 걸음으로 언제 다녀올래?

흥~

칫~

내 걸음이 어때서! 누가 먼저 가나 내기할래?

「해님과 바람」을 읽어 봐. 자기가 힘이 더 세다고 잘난 척하던 바람이 해님한테 결국 진 거 몰라?

해님과 바람

4주에는 무엇을 공부할까? ❷

1-1 밑줄 그은 '천지'의 뜻으로 알맞은 것에 ○표를 하세요.

"오토바이가 지나가다가 우리 가게의 땅콩을 죄다 쏟았지 뭐예유. 온 시장 바닥이 땅콩 <u>천지</u>였구먼유."

(1) 대단히 많음. ( )

(2) 하늘과 땅을 아울러 이르는 말. ( )

1-2 밑줄 그은 낱말이 '대단히 많음.'의 의미로 쓰인 것을 골라 ○표를 하세요.

교실에 쓰레기가 <u>천지</u>이다.

(1) ( )

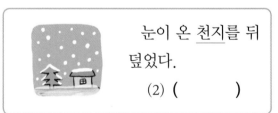

눈이 온 <u>천지</u>를 뒤덮었다.

(2) ( )

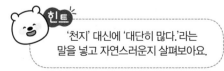

힌트

'천지' 대신에 '대단히 많다.'라는 말을 넣고 자연스러운지 살펴보아요.

▶ 정답 및 해설 26쪽

2-1 다음 문장에 들어갈 바른 낱말을 골라 ◯표를 하세요.

땅에 묻은 (김치독 , 김칫독)을 적당한 온도로 보관하기 위해서 짚으로 덮거나 움집 모양의 집을 만들기도 했어요.

2-2 다음 김치 광고에서 잘못 쓴 낱말을 바르게 고쳐 쓰세요.

땅속에 김치독을 묻고 꺼내 먹던
옛날 맛 그대로 김치

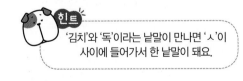

힌트
'김치'와 '독'이라는 낱말이 만나면 'ㅅ'이
사이에 들어가서 한 낱말이 돼요.

김 치 독 ➡ ☐☐☐

꺼벙이 억수

이야기 속에서 인물들이 겪거나 벌이는 일을 찾아라!

「꺼벙이 억수」에서 주인공 억수는 어떤 일을 겪거나 벌이는지
이야기를 읽으며 찾아보아요.

이처럼 이야기에서 인물들이 겪거나 벌이는 일을 사건이라고 한답니다.

○ 오늘 공부할 글의 그림을 미리 보고, 빈칸에 알맞은 낱말을 각각 찾아 쓰세요.

세상	천지	꺼벙이

억수는 밤송이 머리에 뻐드렁니가 난 '❶ ⬚⬚⬚' 같은 아이였어요.
　　　　　　　　　　　　　　　　　　　↳ 생김새나 하는 짓이 야무지지
　　　　　　　　　　　　　　　　　　　　못하고 바보스러운 사람.

하지만 억수는 흙탕물을 뒤집어쓸 뻔한 고은이를 제 몸으로 가려 주는 착한 아이

였지요. 그런 억수에게 땅콩 ❷ ⬚⬚ 인 시장 바닥에서 무슨 일이 있었는지
　　　　　　　　　　　　　　↳ 대단히 많음.

이야기를 읽어 볼까요?

억수가 시장에서
겪은 일 듣기

꺼벙이 억수

윤수천

스스로 독해

억수에게 시장 바닥에서 일어난 일은 무엇인가요? 점선 부분을 따라 선을 그으며 읽어 보고, 답을 생각해 보세요.

"난 요 학교 앞 시장 골목에서 땅콩을 파는 장사꾼이구먼유. 근디 그저께였어유. 오토바이가 지나가다가 우리 가게의 땅콩을 죄다 쏟았지 뭐예유. 온 시장 바닥이 ㉠땅콩 천지였구먼유. 이를 어쩌나 하고 있는디, 저 땅콩만 한 아가 뛰어오더니 땅콩을 줍기 시작하는 게 아니것어유? 하이고, 어린것이 기특도 하지!"

할머니는 잽싼 걸음으로 꺼벙이에게 가서 품에서 꺼낸 땅콩 봉지 하나를 억수의 책상 속에 넣었어요.

"이따가 입이 심심할 즉에 먹어라."

어휘 풀이

▼ **그저께** 어제의 전날. 예 그저께 아빠와 함께 배드민턴을 쳤다.

▼ **죄다** 남김없이 모조리. 예 선생님께 그동안 있었던 일을 죄다 말씀드렸다.

▼ **천지**|하늘 천 天, 땅 지 地| 대단히 많음. 예 운동회가 끝난 운동장은 쓰레기 천지였다.

▼ **꺼벙이** 생김새나 하는 짓이 야무지지 못하고 바보스러운 사람.
예 내 짝꿍은 잘 넘어지는 바람에 꺼벙이라는 별명을 얻었다.

1
표현

㉠'땅콩 천지'의 뜻으로 알맞은 것은 무엇인가요? (   )

① 땅콩이 아주 컸다.

② 땅콩이 아주 많았다.

③ 땅콩이 아주 맛있었다.

④ 땅콩이 아주 많이 팔렸다.

⑤ 땅콩을 아주 많이 먹었다.

힌트

'천지'의 뜻과 관련해서
생각해 봐요.

2
유추

억수에 대한 할머니의 마음은 어떠한가요? (   )

① 밉다.　　　　　　　　② 고맙다.

③ 화가 난다.　　　　　　④ 걱정스럽다.

⑤ 못마땅하다.

4주
1일

서술형

3
이해

억수가 시장 바닥에서 한 일은 무엇인지 쓰세요.

시장 바닥에 쏟아진 ＿＿＿＿＿＿＿＿＿

＿＿＿＿＿＿＿＿＿＿＿＿＿＿＿＿＿

스스로 독해 해결!

4
요약

이 이야기에서 일어난 일을 정리하여 빈칸에 알맞은 말을 각각 쓰세요.

원인	꺼벙이 ❶ ☐☐ 는 땅콩을 파는 장사꾼 할머니의 땅콩이 시장 바닥에 쏟아지자 땅콩을 대신 주워 주었다.

↓

결과	할머니는 억수를 찾아와서 먹으라며 ❷ ☐☐ 을 주었다.

▶ 정답 및 해설 26쪽

1 밑줄 그은 낱말과 바꾸어 쓸 수 있는 낱말을 보기 에서 각각 찾아 쓰세요.

보기

손님   장사치   굼뜨게   재빠르게

(1) 할머니께서는 땅콩을 파는 장사꾼이라고 하셨다.

(2) 할머니께서는 잽싸게 꺼벙이에게 땅콩 한 봉지를 주셨다.

2 다음 달력을 보고 빈칸에 알맞은 낱말을 보기 에서 각각 찾아 쓰세요.

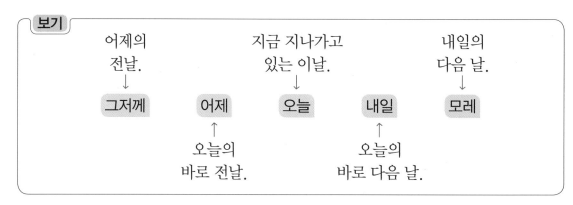

보기

어제의 전날.   지금 지나가고 있는 이날.   내일의 다음 날.

그저께   어제   오늘   내일   모레

오늘의 바로 전날.   오늘의 바로 다음 날.

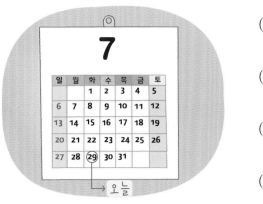

7

일	월	화	수	목	금	토
			1	2	3	4	5
6	7	8	9	10	11	12
13	14	15	16	17	18	19
20	21	22	23	24	25	26
27	28	29	30	31		

→ 오늘

(1) 27일은 [   ] 이다.

(2) 28일은 [   ] 이다.

(3) 30일은 [   ] 이다.

(4) 31일은 [   ] 이다.

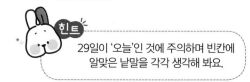

힌트

29일이 '오늘'인 것에 주의하며 빈칸에 알맞은 낱말을 각각 생각해 봐요.

◉ 꺼벙이 억수가 길을 따라가며 시장 바닥에 떨어진 땅콩을 찾고 있어요. 도착점에 도착한 억수는 모두 몇 개의 땅콩을 찾았을지 땅콩의 개수를 모두 더해 알맞은 숫자에 ○표를 해 보세요.

 (7 , 8 , 9)개의 땅콩을 찾았어요.

 「꺼벙이 억수」에서 억수가 한 일을 떠올리며 억수가 찾은 **땅콩의 수를 모두 더하는 덧셈**을 해 봅니다.

김장을 담가요

공부한 날   월   일

어떤 사실을 설명하는 글을 쓴 까닭을 찾아라!

「김장을 담가요」는 무엇에 대해 설명하는 글인지 생각해 보세요.

설명하는 글은 어떤 사실을 그대로 알려 주기 위해서 쓰는 글로,

「김장을 담가요」는 '김장'의 뜻과 김장을 담근 까닭을 알려 주기 위해 쓴 글이지요.

● 오늘 공부할 글의 그림을 미리 보고, 빈칸에 알맞은 낱말을 보기 에서 각각 찾아 쓰세요.

보기

김장　　　채소　　　김칫독　　　냉장고

❶

밭에서 기르는 농작물. 주로 그 잎이나 줄기, 열매 따위를 먹음.
　예 옛날에는 겨울철에 ○○를 구할 수 없었다.

4주
2일

❷

겨우내 먹기 위하여 김치를 한꺼번에 많이 담그는 일.
　예 겨울이 오기 전에 ○○을 담갔다.

❸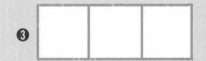

김치를 담아 두는 독.
　예 김치를 ○○○에 넣어 땅속에 묻었다.

김치에 대해
알아보기

김장을 담가요

스스로 독해

김장의 뜻과 김장을 담그는 까닭은 무엇일까요? 점선 부분을 따라 선을 그으며 읽어 보고, 답을 생각해 보세요.

지금은 한겨울에도 김치의 재료인 채소를 구할 수 있지만, 옛날에는 겨울철에 채소를 구할 수가 없었어요. ㉠ 겨울에 먹을 김치를 한꺼번에 담갔는데, 이를 '김장'이라고 해요.

냉장고가 없던 옛날에는 김장 김치를 김칫독에 넣어 땅속에 묻었어요. 그렇게 하면 기온이 오르내려도 땅속은 온도가 일정하기 때문에 김치 맛이 좋고, 쉽게 변하지 않아요.

땅에 묻은 김칫독을 적당한 온도로 보관하기 위해서 짚으로 덮거나 움집 모양의 집을 만들기도 했어요.

어휘 풀이

▼**한겨울** 추위가 한창인 겨울. ㉑ 한겨울에는 옷을 따뜻하게 입어야 한다.

▼**김장** 겨우내 먹기 위하여 김치를 한꺼번에 많이 담그는 일. 또는 그렇게 담근 김치.
㉑ 지난 주말 온 가족이 힘을 합쳐 김장을 담갔다.

▼**김칫독** 김치를 담아 두는 독. ㉑ 할머니께서 김칫독에서 김치를 꺼내 오셨다.

▼**일정**|하나 일 一, 정할 정 定| 어떤 것의 크기, 모양, 범위, 시간 따위가 하나로 정하여져 있음. ㉑ 수박을 일정한 크기로 잘랐다.

▼**움집** 땅을 파서 가운데 기둥을 세우고, 지붕을 덮어 만든 집.

▲ 움집

1

이해

서술형

옛날에 김장을 담근 까닭은 무엇인지 쓰세요.

옛날에는 겨울철에 _____ 없었기 때문이다.

2

문법

⑦   안에 들어갈 말로 알맞은 것에 ◯표를 하세요.

(1) 그리고 (   )   (2) 그러나 (   )   (3) 그래서 (   )

힌트
두 문장이 원인과 결과의 관계일 때 쓰는
이어 주는 말을 찾아봐요.

4주
2일

3

이해

김칫독을 땅속에 묻는 까닭은 무엇인가요? (   )

① 땅속은 넓어서

② 땅속은 온도가 낮아서

③ 땅속은 온도가 높아서

④ 땅속은 온도가 일정해서

⑤ 땅속은 온도가 쉽게 변해서

4

요약

스스로 독해 해결!

이 글에서 설명하고 있는 내용을 정리하여 빈칸에 각각 쓰세요.

겨울에 먹을 김치를 한꺼번에 담그는 것을

'❶ ▢▢'이라고 한다. 옛날에는 겨울철

에 채소를 구할 수 없었기 때문에 김장을 담가

김칫독에 넣어 ❷ ▢▢ 에 묻었다.

1 다음 문장의 밑줄 그은 낱말과 뜻이 비슷한 낱말을 보기 에서 각각 찾아 쓰세요.

> 보기
>
> **엄동** 몹시 추운 겨울.
>
> **야채** 밭에서 기르는 농작물을 일상적으로 이르는 말.
>
> **채식** 고기를 먹지 않고 주로 채소, 과일, 해초 등의 식물성 음식만 먹음.

(1) 옛날에는 겨울철에 <u>채소</u>를 구할 수가 없었어요.

              └→ [   ]

(2) 지금은 <u>한겨울</u>에도 김치의 재료인 채소를 구할 수 있어요.

              └→ [   ]

2 다음 사진에 알맞은 낱말을 찾아 각각 선으로 이으세요.

(1)    •

           • ① **김칫독**
                  김치를 담아 두는 독.

(2)    •

           • ② **짚**
                  벼, 보리 같은 곡식에서 이삭을 떨어낸 줄기와 잎.

(3)    •

           • ③ **움집**
                  땅을 파서 가운데 기둥을 세우고, 지붕을 덮어 만든 집.

⦿ 다음 그림을 보고, 김치를 담그는 순서에 맞게 빈칸에 알맞은 말을 보기 에서 각각 찾아 쓰세요.

보기

소   쌀   젓갈   배추

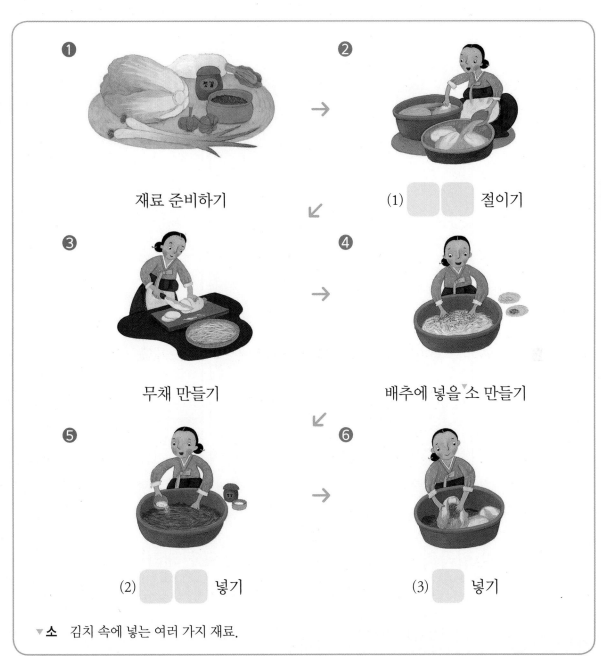

❶ 재료 준비하기

❷ (1) ☐☐ 절이기

❸ 무채 만들기

❹ 배추에 넣을 소 만들기

❺ (2) ☐☐ 넣기

❻ (3) ☐ 넣기

▼**소** 김치 속에 넣는 여러 가지 재료.

 「김장을 담가요」의 내용을 떠올려 보고, 우리가 매일 먹는 **김치를 담그는 방법**을 알아봅니다.

4주 3일 해님과 바람

공부한 날   월   일

희곡의 내용을 실감 나게 연기로 표현해라!

「해님과 바람」을 읽으며 배우가 말과 행동, 표정을 어떻게 할지 생각해 보세요.

연극 공연을 하기 위해 쓴 글인 희곡을 읽으며 괄호 안에 나타난

동작, 표정, 말투 등을 따라 직접 연기를 해 보면

대사를 더욱 실감 나게 읽을 수 있지요.

◉ 오늘 공부할 글의 그림을 미리 보고, 빈칸에 알맞은 낱말을 각각 찾아 쓰세요.

| 내기 | 회의 | 나그네 |

해님과 바람이 누구의 힘이 더 센지 ❶ ☐☐ 를 하기로 했어요. 지나가던

→무엇인가를 주고받기로 하고 이기느냐 지느냐를 겨루는 일.

❷ ☐☐☐ 의 외투를 먼저 벗긴 인물은 누구일지 살펴보며 등장인물들

→자기가 사는 지방이나 지역을 떠나 다른 곳에 잠시 머물거나 떠도는 사람.

의 말을 실감 나게 읽어 보세요.

희곡의 지문에
대해 알아보기

해님과 바람

스스로 독해

이 글에서 인물들의 말은 어떤 행동이나 표정, 목소리로 읽어야 할까요? 점선 부분을 따라 선을 그으며 읽어 보고, 인물의 말을 실감 나게 표현해 봐요.

바람: (잘난 척하는 표정으로) 우리 누가 힘이 더 센지 내기할까?

해님: (㉠) 좋아! 저기 지나가는 나그네의 외투를 누가 먼저 벗기는지 내기하자.

바람: 내가 먼저 해 볼게. (나그네를 향해 입김을 힘껏 분다.) 후후!

나그네: (옷깃을 단단히 여미며) 왜 이렇게 바람이 불고 춥지?

해님: (나그네를 바라보며) 이번에는 내가 나설 차례군. 햇볕을 강하게 내리쬐어 볼까?

나그네: (땀을 뻘뻘 흘리며 외투를 벗는다.) 갑자기 왜 이렇게 더워지지?

어휘 풀이

▼ **내기** 무엇인가를 주고받기로 하고 이기느냐 지느냐를 겨루는 일.

⑩ 짝과 누가 수학 시험을 잘 보는지 내기를 했다.

▼ **나그네** 자기가 사는 지방이나 지역을 떠나 다른 곳에 잠시 머물거나 떠도는 사람.

⑩ 떠돌이 나그네가 물 한 잔을 달라고 부탁했다.

▼ **외투** |바깥 외 外, 덮개 투 套| 추위를 막기 위하여 겉옷 위에 입는 옷을 통틀어 이르는 말.

⑩ 날이 추우니 두꺼운 외투를 입고 나가야 한다.

▼ **옷깃** 양복 윗옷에서 목둘레에 길게 덧붙여 있는 부분. ⑩ 아버지께서는 구겨진 옷깃을 바로잡으셨다.

▼ **여미며** 벌어진 옷깃이나 둘러친 막 따위를 바로 합쳐 단정하게 하며.

⑩ 수근이는 추운 듯 코트 자락을 여미며 몸을 움츠렸다.

스스로 독해 해결!

1
유추

◯ㄱ 안에 들어갈 행동이나 표정, 목소리를 나타내는 말로 알맞은 것은 무엇인가요? (   )

① 한숨을 쉬며
② 작은 목소리로
③ 실망한 표정으로
④ 자신 있는 목소리로
⑤ 궁금해하는 표정으로

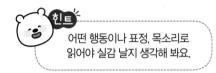

힌트

어떤 행동이나 표정, 목소리로
읽어야 실감 날지 생각해 봐요.

2
어휘

㉮~㉰ 중 '옷깃'에 해당하는 부분을 골라 기호를 쓰세요. (   )

서술형

3
이해

해님은 어떻게 나그네의 외투를 벗겼는지 쓰세요.

> 해님은 나그네에게 _____

4
요약

이 글에서 일이 일어난 차례를 정리하여 빈칸에 알맞은 말을 각각 쓰세요.

> 어느 날, 해님과 바람이 누가 더 힘이 센지 내기를 했다. → ❶ ☐☐
>
> 이 입김을 세게 불었지만 나그네가 옷깃을 단단히 여몄다. → 하지만
>
> ❷ ☐☐ 이 햇볕을 강하게 내리쬐자 나그네는 외투를 벗었다.

1 다음 낱말의 뜻에 알맞은 낱말을 골라 ◯표를 하세요.

(1) 해님: (해 , 무지개)를 사람처럼 생각하고 높여 이르는 말.

(2) 입김: (코 , 입)에서 나오는 더운 김.

2 다음 문장의 빈칸에 알맞은 모양을 흉내 내는 말을 보기 에서 각각 찾아 쓰세요.

> 보기
>
> **뻘뻘** 땀을 매우 많이 흘리는 모양.
>
> **쨍쨍** 햇볕 따위가 몹시 내리쬐는 모양.
>
> **후후** 입을 동글게 오므려 내밀고 입김을 많이 자꾸 내뿜는 소리. 또는 그 모양.

(1) 　바람이 입김을 [　　　] 불었다.

(2) 　해님이 햇볕을 [　　　] 내리쬐었다.

(3) 　나그네가 땀을 [　　　] 흘렸다.

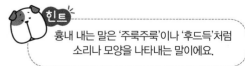

힌트
흉내 내는 말은 '주룩주룩'이나 '후드득'처럼
소리나 모양을 나타내는 말이에요.

◎ 「해님과 바람」에서 해님이 나그네의 외투를 벗기려고 해요. 다음 그림이 나타내는 낱자가
무엇인지 알아보고, 해님이 나그네의 외투를 벗길 수 있도록 빈칸에 알맞은 말을 쓰세요.

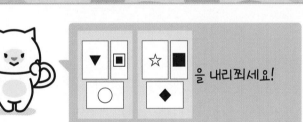

을 내리쬐세요!

그림	○	▣	◆	▼	■	☆
나타내는 낱자	ㅅ	ㅐ	ㅌ	ㅎ	ㅕ	ㅂ

해님에게 할 말 ☐ ☐ 을 내리쬐세요!

「해님과 바람」에서 잘난 척하던 바람이 아닌 **해님이 나그네의 외투를 벗길 수 있었던 까닭**을 다시 한번 생각해 보며 암호를
풀어 봅니다.

다른 점을 인정해요

공부한 날　　　월　　　일

주장하는 글에서 글쓴이의 생각을 찾아라!

주장하는 글 「다른 점을 인정해요」를 읽고 글쓴이는
어떤 생각을 말하고 있는지 찾아보아요.
이 글에서 글쓴이는
자신과 친구의 다른 점을 인정하고 존중하자는 생각을 말하고 있지요.

● 오늘 공부할 글과 그림을 미리 보고, 알맞은 낱말을 각각 찾아 표시하세요.

내 짝은 외국에서 전학 와서 나와 피부색도 다르고 우리말도 서툴다.

1 '비교가 되는 두 대상이 서로 같지 아니하고.'라는 뜻의 낱말을 찾아 ○표를 하세요.

2 '어떤 일에 익숙하지 못하다.'라는 뜻의 낱말을 찾아 △표를 하세요.

다른 점을 인정해요

스스로 독해

이 글에 나타난 글쓴이의 생각은 무엇인가요? 점선 부분을 따라 선을 그으며 읽고, 답을 생각해 보세요.

내 짝은 외국에서 전학 와서 나와 피부색도 다르고 우리말도 서툴다. 그래서 가끔 다른 친구들이 내 짝을 놀리기도 한다. 하지만 나는 내 짝과 같이 자신과 다른 친구를 만났을 때 놀리는 것은 옳지 않다고 생각한다.

내 짝뿐만이 아니라 우리 모두는 서로 생김새도 다르고, 좋아하는 것도 다르다. 이렇게 서로 다르기 때문에 세상에서 하나밖에 없는 특별한 사람인 것이다. 따라서 내 짝과 같이 자신과 다른 친구를 만나면 자신과 다르다며 이상하다고 생각하거나 놀리지 말고 그 친구의 ㉠다른 점을 인정하고 존중해 주어야 한다.

어휘 풀이

▼ **다르고** 비교가 되는 두 대상이 서로 같지 아니하고. ⑩ 오빠와 나는 성격도 다르고 취미도 다르다.

▼ **서툴다** 어떤 일에 익숙하지 못하다. ⑩ 내 동생은 젓가락질이 서툴다.

▼ **특별**|특별할 특 特, 다를 별 別| 보통과 구별되게 다름. ⑩ 너를 위해 준비한 특별한 생일 선물이야.

▼ **인정**|알 인 認, 정할 정 定| 확실히 그렇다고 여김. ⑩ 도윤이는 우리 반 친구들 모두가 인정하는 모범생이다.

▼ **존중**|높을 존 尊, 무거울 중 重| 높이어 귀중하게 대함. ⑩ 나와 다른 의견도 존중해 주어야 한다.

1
어휘

㉠'다른 점'과 바꾸어 쓸 수 있는 말은 무엇인가요? (   )

① 단점   ② 차이점   ③ 같은 점
④ 틀린 점   ⑤ 잘못된 점

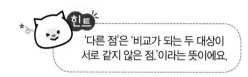

힌트
'다른 점'은 '비교가 되는 두 대상이 서로 같지 않은 점.'이라는 뜻이에요.

2
이해

글쓴이는 우리 모두가 세상에서 하나밖에 없는 특별한 사람인 까닭이 무엇이라고 하였나요? (   )

① 서로 똑같기 때문에
② 서로 다르기 때문에
③ 서로 사랑하기 때문에
④ 서로 존중하기 때문에
⑤ 서로 친구이기 때문에

4주
4일

서술형

3
이해

글쓴이는 어떤 행동이 옳지 않다고 하였는지 쓰세요.

자신과 다른 친구를 만났을 때 _____
옳지 않다.

스스로 독해 해결!

4
요약

이 글에서 글쓴이가 하고 싶은 말은 무엇인지 빈칸에 알맞은 말을 각각 쓰세요.

하고 싶은 말	자신과 다른 친구를 만나면 그 친구의 ❶ [ ][ ] 점을 인정하고 ❷ [ ][ ] 해 주어야 한다.

1 다음 각 문장에 알맞은 낱말을 보기 에서 각각 찾아 쓰세요.

> 보기
>
> 능숙하다 어떤 일에 뛰어나고 익숙하다.
>
> 서툴다 일 따위에 익숙하지 못하여 잘하지 못하다.
>
> 같다 서로 다르지 않고 하나이다.
>
> 다르다 비교가 되는 두 대상이 서로 같지 않다.

(1) 앨리스는 아직 글자 쓰기에

                        .

(2) 전학 온 친구만 체육복 색깔이

                        .

2 각 문장의 밑줄 그은 낱말과 뜻이 반대인 낱말을 보기 에서 각각 찾아 쓰세요.

> 보기
>
> 달랐다 비교가 되는 두 대상이 서로 같지 아니하였다.
>
> 틀렸다 셈이나 사실 따위가 그르게 되었거나 어긋났다.

(1) 나와 내 짝꿍이 입고 온 옷 색깔이 <u>같았다</u>.

                        ↔ [　　　　]

(2) 수업 시간에 푼 수학 문제의 답이 모두 <u>맞았다</u>.

                        ↔ [　　　　]

○ 다문화 축제의 한 장면을 살펴보고, 두 그림에서 다른 부분을 다섯 군데 찾아 두 번째 그림에 ○표를 하세요.

4주

4일

「다른 점을 인정해요」를 읽고 나와 다른 친구들을 인정하고 존중해 주어야 한다는 사실을 잘 알았나요? 우리나라 곳곳에서 열리는 다문화 축제의 한 장면을 살펴보며 **다른 점을 인정하는 마음**을 가져 봅니다.

전기도 '돈'입니다

공부한 날　　월　　일

공익 광고의 특성을 생각해라!

공익 광고 「전기도 '돈'입니다」를 보고,

나라와 국민 전체에게 말하려는 내용은 무엇인지 찾아보아요.

사진과 글을 살펴보면 공익 광고에서 하려는 말을 찾을 수 있어요.

● 오늘 공부할 사진을 미리 보고, 빈칸에 알맞은 낱말을 각각 찾아 쓰세요.

공익	집게	코드

❶ ☐☐ 를 어떻게 꽂으라는 것일까요?
↳전기 기구에 전기가 들어오게 하는 줄.

이 ❷ ☐☐ 광고에서 사람들에게 하고 싶은 말은 무엇인지 생각하며
↳사회 전체의 이익.

광고를 살펴보세요.

광고에 대해
알아보기

전기도 '돈'입니다

스스로 독해

◯ 속 낱말을 색칠해 보아요. 광고는 전기를 무엇처럼 생각하라고 말하는지 알 수 있답니다.

어휘 풀이

▶ **공익**|공변될 공 公, 더할 익 益|　사회 전체의 이익. 예 이 사업은 공익을 위한 것이다.

▶ **코드**　전기 기구에 전기가 들어오게 하는 줄. 예 텔레비전을 안 볼 때에는 코드를 뽑아 두어야 한다.

▶정답 및 해설 30쪽

1
어휘

다음 사진에서 ㉮~㉰ 중 '코드'를 찾아 기호를 쓰세요. (   )

2
이해

스스로 독해 해결!

이 광고에서 하고 싶은 말은 무엇인가요? (   )

① 돈을 많이 쓰자.

② 전기세를 제때 내자.

③ 전기를 사용하지 말자.

④ 전기를 안전하게 사용하자.

⑤ 전기를 돈처럼 생각하고 아껴 쓰자.

힌트
전기를 무엇이라고 했는지
생각해 봐요.

4주
5일

3
유추

서술형

이 광고의 내용으로 보아, 전기를 아껴 쓰면 무엇을 아낄 수 있을지 쓰세요.

전기를 아껴 쓰면 _____

4
요약

이 글의 내용을 정리하여 빈칸에 알맞은 말을 보기 에서 각각 찾아 쓰세요.

보기

광고   편지   전기

이 공익 ❶ [   ] 에서 하고 싶은 말은 ❷ [   ] 를 아껴 쓰자는 것
이다.

1 다음 문장에 알맞게 글자 '꽂'과 '꽃'을 구분하여 빈칸에 각각 쓰세요.

(1) 머리에 [　] 을 머리핀을 새로 샀다.

(2) 봄이 되자 어느새 [　] 이 활짝 피었다.

힌트
'꽂다'는 '쓰러지거나 빠지지 않게 박아
세우거나 끼우다.'라는 뜻이에요.

2 다음 문장을 잘 읽고 빈칸에 알맞은 낱말을 보기 에서 각각 찾아 쓰세요.

보기

공익 　사회 전체의 이익.

광고 　어떤 것을 팔거나 관심을 끌려고 여러 사람에게 널리 알리는 것.

아무 　'아무런', '조금도'를 뜻하는 말.

코드 　전기 기구에 전기가 들어오게 하는 줄.

(1) 경찰은 [　] 을 위해 일해야 한다.

(2) 떼를 써 봐도 [　] 소용이 없었다.

(3) 이 공익 [　] 에서는 책을 많이 읽자고 말하고 있다.

(4) 쓰지 않는 가전제품의 [　] 는 뽑아 두어야 전기를 절약할 수 있다.

◉ 전기가 낭비되고 있는 곳을 모두 찾아 코드를 뽑거나 불을 끈 후 지나갈 수 있도록 알맞게 길을 찾아 선으로 이어 보세요.

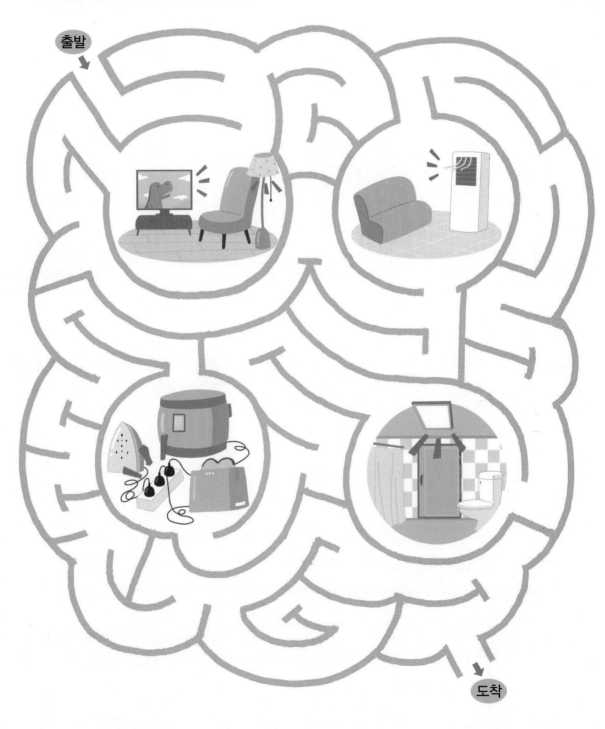

 공익 광고 「전기도 '돈'입니다」에서 하고 싶은 말을 떠올리며 **전기가 낭비되고 있는 곳을 모두 찾아보고, 코드를 뽑거나 불을 꺼 전기를 아껴야 한다는 사실을** 다시 한번 깨닫도록 합니다.

[1~3] 다음 글을 읽고, 물음에 답하세요.

"난 요 학교 앞 시장 골목에서 땅콩을 파는 장사꾼이구면유. 근디 그저께였어유. 오토바이가 지나가다가 우리 가게의 땅콩을 죄다 쏟았지 뭐예유. 온 시장 바닥이 땅콩 천지였구면유. 이를 어쩌나 하고 있는디, 저 땅콩만 한 아가 뛰어오더니 땅콩을 줍기 시작하는 게 아니것어유? 하이고, 어린것이 기특도 하지!"

할머니는 ㉠잽싼 걸음으로 꺼벙이에게 가서 품에서 꺼낸 땅콩 봉지 하나를 억수의 책상 속에 넣었어요.

1 할머니는 어떤 일을 하시는지 (　　) 안에 알맞은 말을 쓰세요.

· 시장에서 (　　　　　)을/를 파는 일

2 할머니가 겪은 일은 무엇인가요? (　　　)

① 할머니가 오토바이에 부딪쳤다.
② 억수가 할머니네 땅콩을 훔쳤다.
③ 억수가 할머니네 땅콩을 모두 엎었다.
④ 억수가 할머니네 가게 앞에서 사고를 당하였다.
⑤ 오토바이가 지나가다가 할머니네 땅콩을 죄다 쏟았다.

3 ㉠ 대신 넣을 수 있는 낱말을 골라 ○표를 하세요.

(놀란 , 빠른 , 느린)

[4~5] 다음 글을 읽고, 물음에 답하세요.

지금은 한겨울에도 김치의 재료인 채소를 구할 수 있지만, 옛날에는 겨울철에 채소를 구할 수가 없었어요. 그래서 겨울에 먹을 김치를 한꺼번에 담갔는데, 이를 '김장'이라고 해요.

냉장고가 없던 옛날에는 김장 김치를 김칫독에 넣어 땅속에 묻었어요. 그렇게 하면 기온이 오르내려도 땅속은 온도가 일정하기 때문에 김치 맛이 좋고, 쉽게 변하지 않아요.

4 '김장'이란 무엇인지 알맞게 말한 친구의 이름을 쓰세요.

정연: 겨울에 먹을 김치를 한꺼번에 담그는 것을 말해.
수아: 이듬해 먹을 김치를 한겨울에 담그는 것을 말해.

(　　　　　　)

5 김장 김치를 김칫독에 넣어 땅속에 묻으면 좋은 점을 두 가지 고르세요. (　　　)

① 김치 맛이 좋다.
② 김치가 따뜻해진다.
③ 김치를 도둑맞지 않는다.
④ 김치의 양이 줄지 않는다.
⑤ 김치 맛이 쉽게 변하지 않는다.

▶ 정답 및 해설 30쪽

[6~8] 다음 글을 읽고, 물음에 답하세요.

바람: (잘난 척하는 표정으로) 우리 누가 힘이 더 센지 내기할까?

해님: (자신 있는 목소리로) 좋아! 저기 지나가는 나그네의 외투를 누가 먼저 벗기는지 내기하자.

바람: 내가 먼저 해 볼게. (나그네를 향해 입김을 힘껏 분다.) 후후!

나그네: ㉠(옷깃을 단단히 여미며) 왜 이렇게 바람이 불고 춥지?

해님: (나그네를 바라보며) 이번에는 내가 나설 차례군. ㉡햇볓을 강하게 내리쬐어 볼까?

나그네: (땀을 뻘뻘 흘리며 외투를 벗는다.) 갑자기 왜 이렇게 더워지지?

6 해님과 바람 가운데에서 내기에서 이긴 인물은 누구인지 쓰세요.

(   )

7 ㉠의 모습으로 알맞은 것에 ○표를 하세요.

(1) (   ) · (2) (   )

8 ㉡을 바르게 고쳐 쓰세요.

햇 볓 ➡ ☐☐

9 글쓴이가 하고 싶은 말은 무엇인지 알맞은 것을 골라 ○표를 하세요.

우리 모두는 서로 생김새도 다르고, 좋아하는 것도 다르다. 이렇게 서로 다르기 때문에 세상에서 하나밖에 없는 특별한 사람인 것이다. 따라서 내 짝과 같이 자신과 다른 친구를 만나면 자신과 다르다며 이상하다고 생각하거나 놀리지 말고 그 친구의 다른 점을 인정하고 존중해 주어야 한다.

(1) 자신과 다른 친구를 만나면 자신이 옳다는 것을 알려야 한다. (   )

(2) 자신과 다른 친구를 만나면 그 친구의 다른 점을 인정하고 존중해 주어야 한다. (   )

10 이 광고에서 알리는 내용을 잘 실천하고 있는 친구의 이름을 쓰세요.

성아: 쓰지 않는 가전제품의 코드는 빼 두었어.

준혁: 낮에도 거실에 불을 환하게 켜 두었어.

(   )

창의

1 다음 만화를 읽고, 4주차에서 배운 낱말을 떠올려 어휘 퀴즈에 알맞은 낱말을 빈칸에 각각 쓰세요.

🐻 어휘 퀴즈

❶ '다른 학교에 다니던 친구가 우리 학교로 ○○을 왔다.'에서 빈칸에 들어갈 말은?

❷ '높이어 귀중하게 대함.'을 뜻하는 말은? →

❸ '겨우내 먹기 위하여 김치를 한꺼번에 많이 담그는 일. 또는 그렇게 담근 김치.'를 뜻하는 말은? →

융합

2 「김장을 담가요」를 읽고 김장을 하는 까닭에 대해 배웠어요. 옛날에는 김장을 할 때 마을 사람들 여럿이 모여서 함께 김장을 했어요. 다음 문장을 읽고 빈칸에 알맞은 이름을 쓰세요.

 연생이는 30포기, 장금이는 35포기, 동이는 28포기의 배추 속을 넣었어요. 김치를 가장 많이 가져가게 될 사람은 (1)'　　　　　'이고, 가장 적게 가져가게 될 사람은 (2)'　　　　　'예요.

▶ 정답 및 해설 31쪽

코딩

3 「다른 점을 인정해요」에서 자신과 다른 친구를 만나면 다른 점을 존중해 주어야 한다는 것을 배웠어요. 다문화 축제에 놀러 간 아영이는 세계 다른 나라 친구를 만나 반갑게 인사하였어요. 다음 게임의 코딩 명령을 따라가서 만난 친구의 인사는 무엇인지 찾아 쓰세요.

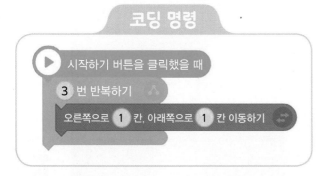

코딩 명령

▶ 시작하기 버튼을 클릭했을 때
3 번 반복하기
오른쪽으로 1 칸, 아래쪽으로 1 칸 이동하기

코딩 명령 풀이
아영이는 오른쪽으로 한 칸, 아래쪽으로 한 칸 이동해요. 이것을 세 번 반복해요.

 아영이가 만난 친구는 "⬜ ⬜ ⬜."라고 인사하였어요.

창의

4

생활 어휘

다음 일기 예보를 보고 알맞은 낱말을 골라 ◯표를 하세요.

기상 캐스터가 날씨를 예측해서 말하고 있어.

날씨를 미리 알면 대비를 해 둘 수 있어서 좋아.

주간 날씨		
서울(˚c)		
10(월)	☀	1/8
11(화)	☁ ➡ 🌧	3/7
12(수)	🌧 ➡ ☁	0/9
13(목)	☁	5/10
14(금)	☀	2/8
◆ 평년보다 낮은 기온 예상, 체감 온도!		

　　애들아, 주간 날씨는 한 (1)(주 , 달) 동안의 날씨를 알려 주는 거야. 월요일에는 가장 낮은 기온이 1도이고, 가장 높은 기온이 8도이지. 그리고 이번 주는 (2)(지난 , 앞으로의) 같은 기간보다 기온이 낮을 거라니 참고해. 아! 실제 기온보다 (3)(몸 , 마음)으로 느끼는 온도가 낮을 거라니까 감기 걸리지 않도록 따뜻하게 입고 나가!

어휘 풀이

▼ **주간** |돌 주 週, 사이 간 間| 　월요일부터 일요일까지 한 주일 동안.

　　예 <u>주간</u> 식단표를 보니 내가 좋아하는 반찬이 많아서 기분이 좋다.

▼ **평년** |평평할 평 平, 해 년 年| 　일기 예보에서, 지난 30년간의 기후의 평균적 상태를 이르는 말.

　　예 올 여름 기온은 <u>평년</u>과 비슷할 것으로 예상된다.

▼ **체감** |몸 체 體, 느낄 감 感| 　몸으로 어떤 감각을 느낌. 예 오늘은 <u>체감</u> 습도가 매우 높다.

창의
5

생활 한자

天(하늘 천) 자에 대해 알아보고, 다음 물음에 답하세요.

天 자는 사람 머리 위에 하늘이 있는 모습을 그린 것으로 '하늘'이라는 뜻을 표현한 글자예요.

하늘 **천**

하늘 **천**

(1) 天 자가 들어간 낱말을 알아보고, 한자의 음을 쓰세요.

① 아버지께서는 天性이 온화하고 부드러우시다.

[　] 성

힌트
140쪽에서 공부한 '천지'에 쓰인 天(하늘 천) 자에 대해 알아보아요.

② 그는 어린 시절부터 두각을 나타낸 天才 시인으로 유명하다.

[　] 재

(2) 한자 성어의 뜻을 알아보고, 빈칸에 알맞은 한자를 쓰세요.

내일이 시험인데……. 어떻게든 되겠지.

국어 시험

天 下 泰 平

하늘 **천**　아래 **하**　클 **태**　평평할 **평**

온 세상이 태평함. 어떤 일에 무관심한 상태로 걱정 없이 편안하게 있는 태도를 가벼운 놀림조로 이르는 말.

• 민희는 내일이 시험인데도 [　] 下 泰 平 (천하태평)으로 만화책을 보고 있다.

똑똑한 하루 독해 한권 끝!

독해 공부 하느라 수고했어요.
약속을 잘 지켰는지 돌아보고 ○표를 하세요.

약속한 사람 _____

첫째, 하루하루 빠짐없이 꾸준히 공부했나요?   예   아니요

둘째, 하루 독해 문제를 끝까지 다 풀었나요?   예   아니요

셋째, 틀린 문제는 왜 틀렸는지 다시 한번 확인했나요?   예   아니요

약속을 잘 지키지 못한 부분은 스스로 돌아보고,
다음 단계를 공부할 때에는 더 열심히 해 봐요!

그럼, 다음 책으로 고고!

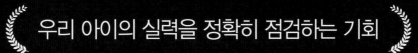

우리 아이의 실력을 정확히 점검하는 기회

40년의 역사
전국 초·중학생 213만 명의 선택

HME 학력평가
해법수학 · 해법국어

응시 학년
수학 | 초등 1학년 ~ 중학 3학년
국어 | 초등 1학년 ~ 초등 6학년

응시 횟수
수학 | 연 2회 (6월 / 11월)
국어 | 연 1회 (11월)

주최 **천재교육** | 주관 **한국학력평가 인증연구소** | 후원 **서울교육대학교**

*응시 날짜는 변동될 수 있으며, 더 자세한 내용은 HME 홈페이지에서 확인 바랍니다.

기초
학습능력 강화
프로그램

천재교육

빠른 정답이 들어 있어요!

똑똑한
하루
독해

정답 및 해설

1단계
A
예비초~1학년

천재교육

정답과 해설
포인트 ③가지

▶ 혼자서도 이해할 수 있는 친절한 문제 풀이

▶ 문제 해결에 도움을 주는 '더 알아보기'와
  틀린 부분을 짚어 주는 '왜 틀렸을까?'

▶ 예시 답안과 채점 기준 제시로 서술형 문항 완벽 대비

똑 똑 한

하루
독해

정답 및 해설

1주

010쪽~011쪽

1주에는 무엇을 공부할까? ❷

1-1 (2) ○　　　　1-2 (1) ○
2-1 위쪽　　　　2-2 위쪽

012쪽~017쪽　　1주 1일

독해 미리 보기

❶ 팥죽　　❷ 아궁이

독해

1 ②　　　2 불씨를 찾기 등　　　3 ②
4 ❶ 파리 ❷ 알밤

독해 어휘

1 (1) 방 (2) 부엌　　　2 (1) 끄다 (2) 켜다

독해 게임

(2) ×

018쪽~023쪽　　1주 2일

독해 미리 보기

❶ 배　　❷ 쌍　　❸ 달려

독해

1 ④　　　2 하나로 되어 있다. 등　　　3 (2) ○
4 ❶ 곤충 ❷ 거미 ❸ 곤충

독해 어휘

1 (1) 6 (2) 8　　　2 없어요

독해 게임

024쪽~029쪽　　1주 3일

독해 미리 보기

❶ 품속　　❷ 야단

독해

1 ①　　　2 두두두두 등　　　3 (1) ○
4 ❶ 엄마 ❷ 빗방울

독해 어휘

1 (1) 우산 (2) 빗방울　　　2 (2) ○

독해 게임

(2) ○

030쪽~035쪽　　1주 4일

독해 미리 보기

1 대왕　　2 노력

독해

1 중국　　　2 어려웠기 등　　　3 ⑤
4 ❶ 백성 ❷ 한글

독해 어휘

1 (1) 전 (2) 후　　　2 (1) 쉬웠어요 (2) 적었어요

독해 게임

훈민정음

036쪽~041쪽　　1주 5일

독해 미리 보기

❶ 점선　　❷ 접어　　❸ 비스듬히

독해

1 (2) ○　　　2 ①, ③　　　3 반으로 접어 등
4 ❶ 삼각형 ❷ 점선

독해 어휘

1 (1) ○   **2** (1) ① (2) ③ (3) ②

독해 게임

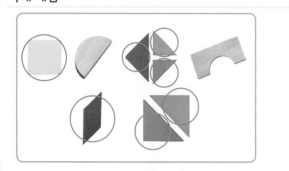

052쪽~053쪽

2주에는 무엇을 공부할까? ②

1-1 고스란히   **1-2** 고스란히
2-1 (1) ○   **2-2** 사냥꾼

042쪽~043쪽

누구나 100점 테스트

1 ②, ③, ④   **2** 지완
3 (2) ○   **4** (1) ○
5 ④   **6** ③
7 우산   **8** 없어서
9 (1) 1 (2) 4 (3) 2 (4) 3   **10** 넷째

054쪽~059쪽

2주 **1**일

독해 미리 보기

1 거름   **2** 고스란히

독해

1 (3) ○   **2** 기뻤다. 등 **3** 경미
4 ❶ 민들레 ❷ 강아지똥

독해 어휘

1 (1) ○   **2** (1) | ! | (2) | ? | (3) | . |

독해 게임

(1) ② (2) ③ (3) ①

044쪽~049쪽

1주 특강

1 ❶ 연구 ❷ 아궁이 ❸ 메뚜기
2 곤충이 아니다
3

● 9월

일요일	월요일	화요일	수요일	목요일	금요일	토요일
					1	2	3	4
5	6	7	8	9	10	11
12	13	14	15	16	17	18
19	20	21 추석	22	23	24	25
26	27	28	29	30		

4 (1) 안 (2) 급하지
5 (1) ① | 대 | 형 | ② | 대 | 지 |
　　(2) | 大 | 同 | 小 | 異 |

060쪽~065쪽

2주 **2**일

독해 미리 보기

❶ 해   ❷ 지구   ❸ 공

독해

1 ④   **2** 어둡다. 등 **3** (2) ○
4 ❶ 지구 ❷ 낮 ❸ 밤

독해 어휘

1 (1) 세모나다 (2) 둥글다
2 (1) ② (2) ③ (3) ①

독해 게임

(1) 낮 (2) 밤

066쪽~071쪽　　　2주 3일

독해 미리 보기

1 은혜　　　**2** 보답

독해

1 (2) ○　　**2** ②　　　**3** 비명 소리 등

4 ❶ 개미　❷ 발

독해 어휘

1 (1) ○　　**2** (1) ○　　　**3** ⓔ 미소 → 소문 → 문제

독해 게임

072쪽~077쪽　　　2주 4일

독해 미리 보기

❶ 직접　　❷ 늘　　　❸ 상하기

독해

1 (2) ○　　**2** 필요한 물건 등

3 ④, ②　　**4** ❶ 물물 교환　❷ 시장

독해 어휘

1 (2) ○　　**2** (1) ②　(2) ①　(3) ③

독해 게임

13

078쪽~083쪽　　　2주 5일

독해 미리 보기

❶ 독서　　❷ 참가　　❸ 신청서

독해

1 책　　**2** ①　　　**3** 이용 습관 등

4 ❶ 독서　❷ 참가

독해 어휘

1 (2) ○　　**2** 독서관 → 도서관

3

신	나	는		여	름		방	학
이		다	가	왔	습	니	다	.

독해 게임

084쪽~085쪽　　　누구나 100점 테스트

1 ②, ④　　　**2** 거름　　　**3** ③

4 (2) ○　　　**5** (1) ②　(2) ①　**6** 작기

7 ②　　　　**8** (1) ○　　　**9** ㉮

10 참여

086쪽~091쪽　　　2주 특강

1 ❶ 비명　❷ 거름　❸ 물물 교환

2 쇼핑 호스트

3

❶	❷	❸	❹	❺
➡	➡	⬇	➡	⬇

4 (1) 안 되고　(2) 된다

5 (1) ① 지 방　② 평 지

　(2) 易 地 思 之

094쪽~095쪽

3주에는 무엇을 공부할까? ②

1-1 15일 **1-2** 15 **2-1** 꾀 **2-2** 꾀

096쪽~101쪽

독해 미리 보기

❶ 상 ❷ 소식

독해

1 ② **2** (2) ○ **3** 매우 기뻐하였다. 등
4 ❶ 그릇 ❷ 사슴

독해 어휘

1 (1) 묻다 (2) 대답하다 **2** 빚을

독해 게임

102쪽~107쪽

독해 미리 보기

❶ 타악기 ❷ 현악기 ❸ 관악기

독해

1 ② **2** 공기의 떨림 **3** (1) ○
4 ❶ 타악기 ❷ 입

독해 어휘

1 악기 **2** (1) 트럼펫 (2) 트라이앵글 (3) 실로폰

독해 게임

(1) 꼬꼬댁 (2) 매 (3) 꽥꽥꽥 (4) 음매

108쪽~113쪽

독해 미리 보기

❶ 나무꾼 ❷ 꾀

독해

1 나무꾼 **2** 땔감을 마련하려고 등 **3** (3) ○
4 ❶ 나무꾼 ❷ 탈

독해 어휘

1 가면 **2** (1) 재주 (2) 씨름

독해 게임

114쪽~119쪽

독해 미리 보기

1 무척 **2** 귀한

독해

1 (1) 3 (2) 1 (3) 2 **2** ② **3** 오래 살 수
있다 **4** ❶ 음식 ❷ 신부

독해 어휘

1 (1) 가늘다 (2) 굵다 (3) 길다 (4) 짧다
2 예 수박 → 박자 → 자두

독해 게임

설날	설날은 음력 1월 1 일로 떡국을 먹는 날이에요.
대보름날	대보름날은 음력 1 월 15일로 오곡밥을 먹는 날이에요.
추석	추석은 음력 8 월 15일로 송편을 먹는 날이에요.
동지	동지는 12월 22일 또는 23일로 팥죽을 먹는 날이에요.

빈칸에 쓴 숫자를 모두 더하면 10 이에요.

120쪽~125쪽 · 3주 5일

독해 미리 보기

1 질병　　**2** 예방

독해

1 ⑤　　**2** 병균이 생겨서 등

3 ❶ 손바닥　❷ 손톱

독해 어휘

1 씻습니다

2 (1) 손가락　(2) 손바닥　(3) 손톱　(4) 손등

독해 게임

손

126쪽~127쪽 · 누구나 100점 테스트

1 구멍　　　　　　　　　**2** ③

3 (1) ○　　　　　　　　**4** (1) ①　(2) ②

5 ㉰　　　　　　　　　　**6** (2) ○

7 ②　　　　　　　　　　**8** 국수

9 ㉯　　　　　　　　　　**10** (3) ○

128쪽~133쪽 · 3주 특강

1 ❶ 땔감　❷ 나무꾼　❸ 대접

2 (3) ○　　　　　　　　**3** (2) ○

4 (1) 안　(2) 없어

5 (1) ① 탈 출　② 출 발

　　(2) 杜 門 不 出

136쪽~137쪽 · 4주에는 무엇을 공부할까? ❷

1-1 (1) ○　　　　　　　**1-2** (1) ○

2-1 김칫독　　　　　　　**2-2** 김칫독

138쪽~143쪽 · 4주 1일

독해 미리 보기

❶ 꺼벙이　　**❷** 천지

독해

1 ②　　　**2** ②　　　**3** 땅콩을 주웠다. 등

4 ❶ 억수　❷ 땅콩

독해 어휘

1 (1) 장사치　(2) 재빠르게

2 (1) 그저께　(2) 어제　(3) 내일　(4) 모레

독해 게임

9

144쪽~149쪽 · 4주 2일

독해 미리 보기

❶ 채소　　**❷** 김장　　**❸** 김칫독

독해

1 채소를 구할 수 등　　**2** (3) ○　　**3** ④

4 ❶ 김장　❷ 땅속

독해 어휘

1 (1) 야채　(2) 엄동　　**2** (1) ①　(2) ③　(3) ②

독해 게임

(1) 배추　(2) 젓갈　(3) 소

150쪽~155쪽 · 4주 3일

독해 미리 보기

❶ 내기 ❷ 나그네

독해

1 ④ 2 ㉮ 3 햇볕을 강하게 내리쬐었다.
등 4 ❶ 바람 ❷ 해님

독해 어휘

1 (1) 해 (2) 입 2 (1) 후후 (2) 쨍쨍 (3) 뻘뻘

독해 게임

햇볕

156쪽~161쪽 · 4주 4일

독해 미리 보기

1 다르고 2 서툴다

독해

1 ② 2 ② 3 놀리는 것 등
4 ❶ 다른 ❷ 존중

독해 어휘

1 (1) 서툴다 (2) 다르다
2 (1) 달랐다 (2) 틀렸다

독해 게임

162쪽~167쪽 · 4주 5일

독해 미리 보기

❶ 코드 ❷ 공익

독해

1 ㉰ 2 ⑤ 3 돈을 아낄 수 있다. 등
4 ❶ 광고 ❷ 전기

독해 어휘

1 (1) 꽃 (2) 꽃
2 (1) 공익 (2) 아무 (3) 광고 (4) 코드

독해 게임

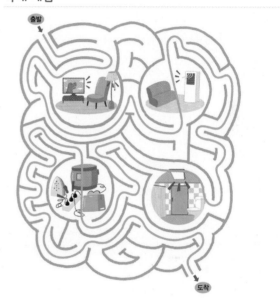

168쪽~169쪽 · 누구나 100점 테스트

1 땅콩 2 ⑤
3 빠른 4 정연
5 ①, ⑤ 6 해님
7 (1) ○ 8 햇볕
9 (2) ○ 10 성아

170쪽~175쪽 · 4주 특강

1 ❶ 전학 ❷ 존중 ❸ 김장
2 (1) 장금(이) (2) 동이
3 씬짜오
4 (1) 주 (2) 지난 (3) 몸
5 (1) ① 천 성 ② 천 재
  (2) 天 下 泰 平

010쪽~011쪽　　　**1주에는 무엇을 공부할까? ②**

1-1 (2) ○　　　　　　**1-2** (1) ○
2-1 위쪽　　　　　　**2-2** 위쪽

1-1 호랑이의 눈을 때린 것은 밤나무의 열매인 알밤이 므로 (2)의 뜻으로 쓰인 것입니다.

1-2 (2)는 형에게 까불다가 맞았다는 내용이므로 여기 에서 '알밤'은 '주먹으로 머리를 쥐어박는 일.'의 뜻 으로 쓰인 것입니다.

2-1 '위쪽'은 '위'와 '쪽'이 합해서 만들어진 낱말로 '윗 쪽'은 틀린 글자입니다.

2-2 '위쪽'이 바르게 쓴 것으로 '우체국 윗쪽'이 아니라 '우체국 위쪽'이라고 써야 합니다.

013쪽　　　　　　**똑똑한 하루 독해 미리 보기**

❶ 팥죽　　　　❷ 아궁이

014쪽~015쪽　　　　　　**똑똑한 하루 독해**

1 ②　　　　　2 불씨를 찾기 등　　　　3 ②
4 ❶ 파리　❷ 알밤

1 안으로 깊이 들어가거나 밖으로 불룩하게 내미는 모 양을 흉내 내는 말인 '쑥'이 들어가야 알맞습니다.

> **왜 틀렸을까?**
> ①: '푹'은 고개를 아주 깊이 숙이는 모양 등을 흉내 내는 말입니다.
> ③: '찍'은 줄이나 획을 세게 한 번 긋는 모양 등을 흉내 내 는 말입니다.
> ④: '뚝'은 큰 물체나 물방울 따위가 아래로 떨어지는 모양 등을 흉내 내는 말입니다.
> ⑤: '꾹'은 매우 힘을 주어 누르거나 죄는 모양 등을 흉내 내는 말입니다.

2 파리가 호롱불을 꺼서 어두워지자 호랑이는 불씨를 찾기 위해 부엌 아궁이를 뒤졌습니다.

> **채점 기준**
> 불씨를 찾는다는 내용을 뒤의 말과 이어지게 썼으면 정 답으로 합니다.

3 알밤이 호랑이의 눈을 때린 뒤에 한 말이므로 눈을 감싸며 말하는 것이 어울립니다.

4 파리는 천장에서 날아와 호롱불을 껐고 알밤은 아궁 이 속에 숨어 있다가 튀어 올라 호랑이의 눈을 때렸 습니다.

016쪽　　　　　　**똑똑한 하루 독해　어휘**

1 (1) 방　(2) 부엌　　　2 (1) 끄다　(2) 켜다

1 (1) 'ㅂ'+'ㅏ'+'ㅇ'을 합치면 '방'이 됩니다. 그림에서 호랑이는 방 안을 살피고 있습니다.
(2) 'ㅂ'+'ㅜ'를 합치면 '부'가 되고, 'ㅇ'+'ㅓ'+'ㅋ'을 합치면 '엌'이 됩니다. 그림에서 호랑이는 부엌 아궁이에서 튀어 오른 알밤에 눈을 맞았습니다.

2 (1) 호롱에 불이 붙어 있지 않으므로 '끄다'가 들어가 야 합니다.
(2) 호롱에 불이 붙어 있으므로 '켜다'가 들어가야 합 니다.

017쪽　　　　　　**똑똑한 하루 독해　게임**

(2) ×

◆ 이 그림에 항아리는 나타나 있지만, 항아리가 호랑 이를 물리치기 위하여 어떤 행동을 한 것은 아니므 로 호랑이를 물리치는 데 도움을 준 인물로 볼 수 없 습니다.

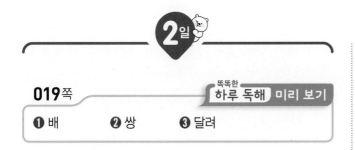

019쪽
^{똑똑한}하루 독해 미리 보기

❶ 배 　　　　❷ 쌍 　　　　❸ 달려

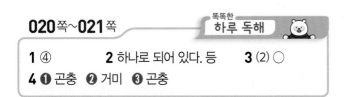

020쪽~**021**쪽
^{똑똑한}하루 독해

1 ④ 　　　　2 하나로 되어 있다. 등 　　　3 (2) ◯
4 ❶ 곤충 　❷ 거미 　❸ 곤충

1 곤충의 몸은 크게 머리, 가슴, 배 이렇게 세 부분으로 나뉘어 있다고 하였습니다.

2 거미는 머리와 가슴이 나뉘어 있는 것이 아니라 머리와 가슴이 하나로 되어 있다고 하였습니다.

> **채점 기준**
> 하나로 되어 있다는 내용으로 썼으면 정답으로 합니다.

3 ㉠의 뒤에는 곤충의 몸과는 다르게 거미의 몸이 머리가슴, 배 이렇게 두 부분으로 나뉘어 있다는 내용이 이어지고 있으므로, ㉠에는 '달리'가 들어가야 알맞습니다.

> ┤ 왜 틀렸을까? ├
> (1): '같이'는 '어떤 상황이나 행동 따위와 다름이 없이.'라는 뜻이므로 ㉠의 뒤에 곤충과 같은 점이나 비슷한 점이 나왔을 때에 사용할 수 있습니다.

4 곤충은 몸이 머리, 가슴, 배와 같이 세 부분으로 나뉘고, 대부분 다리가 세 쌍이며 날개가 있습니다. 하지만 거미는 몸이 머리가슴, 배와 같이 두 부분으로 나뉘고 다리가 네 쌍이며 날개가 없습니다. 따라서 거미는 곤충이 아닙니다.

022쪽
^{똑똑한}하루 독해 어휘

1 (1) 6 　(2) 8 　　　　2 없어요

1 '쌍'은 둘을 하나로 묶어 세는 말이므로, (1)의 세 쌍은 6개이고, (2)의 네 쌍은 8개입니다.

2 거미의 몸에는 날개가 붙어 있지 않으므로, '사람, 사물, 현상 등이 어떤 곳에 자리나 공간을 차지하고 존재하지 않는 상태예요.'라는 뜻의 '없어요'가 들어가야 알맞습니다.

> ┤ 왜 틀렸을까? ├
> '업다'는 '사람이나 동물 따위를 등에 대고 손으로 붙잡거나 무엇으로 동여매어 붙어 있게 하다.'라는 뜻입니다.

023쪽
^{똑똑한}하루 독해 게임

◉ 1부터 25까지의 순서대로 곧게 선을 그으면 거미줄이 완성됩니다.

> ┤ 더 알아보기 ├
> **거미줄의 특징**
> • 거미줄은 거미가 뽑아낸 줄, 또는 그 줄로 된 그물을 말합니다.
> • 거미는 나무나 풀 위에 올라가 거미줄로 테두리를 두르고 자전거 바퀴 모양의 살을 만든 뒤에 중심으로부터 같은 간격으로 뱅글뱅글 돌면서 소라의 껍데기처럼 빙빙 비틀려 돌아간 모양으로 거미줄을 칩니다.

3일

❶ 품속　　❷ 야단

1 ①　　　**2** 두두두두 등　　　**3** (1) ○

4 ❶ 엄마　❷ 빗방울

1 1연에서 '우산 속은 / 엄마 품속 같아요.'라고 하였습니다.

2 빗방울들도 우산 속으로 들어오고 싶어 어떤 소리를 내며 야단이라고 하였는지 3연에서 찾아봅니다.

> **채점 기준**
> '두두두두'라는 내용으로 썼으면 정답으로 합니다.

3 '우산', '빗방울'과 같은 낱말로 보아 이 시를 읽고 우산 위로 빗방울이 떨어지는 장면을 떠올릴 수 있습니다.

> **(왜 틀렸을까?)**
> (2): 비가 내려 우산을 쓰고 있는 장면이 떠오르는 시이므로 맑은 하늘에 구름이 뭉게뭉게 피어오르는 장면은 떠올릴 수 없습니다.

4 이 시에서는 우산 속이 엄마 품속 같아서 빗방울들도 들어오고 싶어 우산 위로 야단스럽게 떨어진다는 내용을 전하고 있습니다.

1 (1) 우산　(2) 빗방울　　**2** (2) ○

1 (1) 비가 올 때에 펴서 손에 들고 머리 위를 가리는 물건인 '우산'입니다.

(2) 비가 되어 점점이 떨어지는 물방울인 '빗방울'입니다.

> **(왜 틀렸을까?)**
>
> 　　
>
> → 비옷은 비가 올 때 비에 젖지 않도록 덧입는 옷을 말합니다.　→ 솔방울은 소나무 열매의 송이를 말합니다.

2 빗소리를 흉내 내는 말에는 굵은 빗방울 따위가 떨어지는 소리를 흉내 내는 말인 '후드득'이 있습니다.

> **(왜 틀렸을까?)**
> (1): '자동차가 <u>부르릉</u> 하며 출발했다.'와 같이 쓰입니다.
> (3): '새가 <u>푸드덕</u> 하늘로 날아올랐다.'와 같이 쓰입니다.

(2) ○

◉ 옛날에는 비가 올 때에 우산 대신 삿갓을 쓰고, 비옷 대신에 도롱이를 입었습니다. 삿갓을 쓰고 도롱이를 입은 인물은 (2)입니다.

삿갓

비나 햇볕을 막기 위하여 대오리나 갈대로 거칠게 엮어서 만든 갓.

도롱이

짚, 띠 따위로 엮어 허리나 어깨에 걸쳐 두르는 비옷.

> **(왜 틀렸을까?)**
> (1): 벼슬을 하는 사람이 관복을 입을 때에 쓰던 모자를 쓰고, 관복을 입고 있는 모습입니다.
> (3): 선비들이 실내에서 쓰던 모자를 쓰고, 한복을 입고 있는 모습입니다.

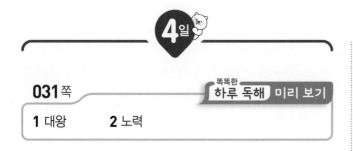

031쪽 — 하루 독해 미리 보기

1 대왕   2 노력

032쪽~033쪽 — 하루 독해

1 중국   2 어려웠기 등   3 ⑤
4 ❶ 백성 ❷ 한글

1 세종 대왕이 한글을 만들기 전에는 우리나라의 글자가 없어서 중국의 한자로 글을 썼습니다.

(더 알아보기)

중국의 한자

고대 중국에서 만들어져 오늘날에도 쓰이고 있는 문자로, 현재 알려져 있는 글자 수는 약 5만에 이르는데 실제로 쓰이는 것은 5천 자 정도입니다. 우리나라와 일본에서도 사용합니다.

2 '백성들에게 한자는 너무 어려웠어요. 그래서 글을 읽지도 못하고 쓰지도 못하는 백성들이 많았어요.'를 보고 알 수 있습니다.

채점 기준

어려웠다는 내용을 앞뒤 말에 잘 이어지게 썼으면 정답으로 합니다.

3 '안타깝게'는 '뜻대로 되지 않거나 보기에 딱하여 가슴 아프고 답답하게.'라는 뜻이므로, '가슴 아프게'와 바꾸어 쓸 수 있습니다.

(왜 틀렸을까?)

①: '고맙게'는 '남이 베풀어 준 친절한 마음씨나 도움 따위에 대하여 마음이 흐뭇하고 즐겁게.'라는 뜻입니다.

②: '기쁘게'는 '기분이 매우 좋고 즐겁게.'라는 뜻입니다.

③: '부럽게'는 '남의 좋은 일이나 물건을 보고 자기도 그런 일을 이루거나 그런 물건을 가졌으면 하고 바라는 마음이 있게.'라는 뜻입니다.

④: '자랑스럽게'는 '남에게 드러내어 뽐낼 만한 데가 있게.'라는 뜻입니다.

4 세종 대왕은 한자를 읽지도 못하고 쓰지도 못하는 백성들을 안타깝게 여겼습니다. 그래서 열심히 연구하여 1443년에 한글을 만들었습니다.

034쪽 — 하루 독해 어휘

1 (1) 전 (2) 후   2 (1) 쉬웠어요 (2) 적었어요

1 (1) 백성들이 중국의 한자를 쓴 일은 세종 대왕이 한글을 만든 일보다 앞서 일어난 일이므로 빈칸에 '전'이 들어가야 알맞습니다.

(2) 백성들이 한글을 쓴 일은 세종 대왕이 한글을 만든 일보다 뒤에 일어난 일이므로 빈칸에 '후'가 들어가야 알맞습니다.

2 (1) '어려웠어요'는 '하기가 까다로워 힘에 겨웠어요.'라는 뜻이고, '쉬웠어요'는 '하기가 까다롭거나 힘들지 않았어요.'라는 뜻이므로 서로 뜻이 반대인 말입니다.

(2) '많았어요'는 '낱낱의 수나 분량, 정도 따위가 일정한 기준을 넘었어요.'라는 뜻이고, '적었어요'는 '낱낱의 수나 분량, 정도 따위가 일정한 기준에 미치지 못했어요.'라는 뜻이므로 서로 뜻이 반대인 말입니다.

035쪽 — 하루 독해 게임

한글의 원래 이름은 훈 민 정 음 이다.

○ ♠는 '훈'을 나타내고, ♣는 '민'을 나타내고, ◉는 '정'을 나타내고, ◆는 '음'을 나타낸다고 하였으므로 빈칸에는 '훈민정음'이 들어가야 합니다.

(더 알아보기)

훈민정음(訓民正音)의 뜻

訓	民	正	音
가르칠 훈	백성 민	바를 정	소리 음

→ 백성을 가르치는 바른 소리라는 뜻입니다.

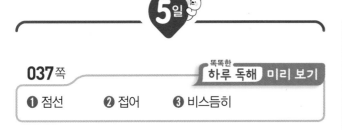

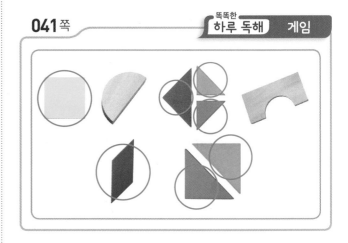

5일

037쪽 　똑똑한 하루 독해 | 미리 보기

❶ 점선　❷ 접어　❸ 비스듬히

038쪽~039쪽 　똑똑한 하루 독해

1 (2) ○　**2** ①, ③　**3** 반으로 접어 등
4 ❶ 삼각형　❷ 점선

---

1 점선은 점 또는 짧은 선 토막으로 이루어진 선이므로 (2)가 알맞습니다.

〔왜 틀렸을까?〕
(1): 끊어진 곳이 없이 이어져 있는 선이므로 '실선'입니다.

2 색종이를 접어 메뚜기를 만들 때에는 메뚜기의 몸통이 될 초록색 색종이가 필요하고, 눈을 그릴 색연필이 필요합니다.

〔왜 틀렸을까?〕
②: 테이프는 무언가를 붙일 때 사용하는 물건입니다.
④: 가위는 무언가를 자를 때 사용하는 물건입니다.
⑤: 스테이플러는 여러 장의 종이를 한데 모아 철할 때 사용하는 물건입니다.

3 첫 번째 그림과 함께 설명된 내용을 가장 먼저 해야 합니다. 첫째로 사각형인 색종이를 점선을 따라 반으로 접어 삼각형을 만들라고 하였습니다.

〔채점 기준〕
반으로 접는다는 내용을 앞뒤 말과 이어지게 썼으면 정답으로 합니다.

4 첫째로 색종이를 삼각형 모양으로 접습니다. 둘째로 점선을 따라 비스듬히 접어 올립니다. 셋째로 접어 올린 색종이의 윗부분을 점선을 따라 접습니다. 넷째로 눈을 그립니다.

040쪽 　똑똑한 하루 독해 | 어휘

1 (1) ○　**2** (1) ①　(2) ③　(3) ②

---

1 '색종이를 점선을 따라 <u>반</u>으로 접어'와 '사과를 <u>반</u>으로 쪼개었다.'에 쓰인 '반'은 '일이나 물건의 중간쯤 되는 부분.'을 말합니다.

〔왜 틀렸을까?〕
(2): '나는 1학년 1<u>반</u>이 되었다.'에서 '반'은 '학년을 학급으로 나눈 단위.'를 말합니다.

2 (1) '색종이'는 '색지'와 뜻이 비슷한 말입니다.
(2) '사각형'은 '네모'와 뜻이 비슷한 말입니다.
(3) '삼각형'은 '세모'와 뜻이 비슷한 말입니다.

041쪽 　똑똑한 하루 독해 | 게임

◉ 고양이를 만들 때 사용한 칠교판 조각은 삼각형 5개와 사각형 2개입니다.

042쪽~043쪽 　〔평가〕 누구나 100점 테스트

1 ②, ③, ④　**2** 지완　**3** (2) ○
4 (1) ○　**5** ⓓ　**6** ③
7 우산　**8** 없어서
9 (1) 1 (2) 4 (3) 2 (4) 3　**10** 넷째

---

1 이 글에는 호랑이, 알밤, 파리가 나옵니다.

〔더 알아보기〕
인물이란 이야기에 등장하는 사람뿐만 아니라 사람처럼 말하고 행동하는 동물, 식물, 사물 등을 말합니다.

2 호랑이의 눈을 때린 '알밤'은 밤나무의 열매인 밤송이에서 빠지거나 떨어진 밤톨을 말합니다.

3 호랑이는 갑자기 무엇인가가 자기의 눈을 '탁!' 하고 때려서 매우 깜짝 놀랐을 것입니다.

4 곤충의 몸은 머리, 가슴, 배 이렇게 세 부분으로 나뉘고 대부분 세 쌍의 다리가 있고 날개도 달려 있다고 하였습니다.

┌─《 왜 틀렸을까? 》─────────────────
│ (2)에서 몸이 두 부분으로 나뉘고 다리는 네 쌍이고 날
│ 개가 없는 것은 거미의 특징으로 거미는 곤충이 아닙니다.
└────────────────────────────────

5 거미는 곤충의 특징을 가지고 있지 않으므로 곤충이 아닙니다.

6 빗방울들이 우산 속으로 들어오고 싶어서 야단이라는 내용을 통해 비가 내리는 날씨라는 것을 알 수 있습니다.

7 빗방울들이 야단인 까닭은 빗방울들도 우산 속에 들어오고 싶어서입니다.

8 '업써서'는 '없어서'를 소리 나는 대로 쓴 것으로 '없어서'라고 쓰는 것이 알맞습니다.

9 첫째, 둘째, 셋째, 넷째의 내용대로 색종이를 접으면 어떤 모양이 되는지 따져 봅니다.

10 위에서 첫째, 둘째, 셋째로 전개되는 것으로 보아 순서를 나타내는 말인 '넷째'가 들어가야 합니다.

044쪽~049쪽   **특강** 창의·융합·코딩

1 ❶ 연구 ❷ 아궁이 ❸ 메뚜기
2 곤충이 아니다
3

일요일	월요일	화요일	수요일	목요일	금요일	토요일
			1	2	3	4
5	6	7	8	9	10	11
12	13	14	15	16	17	18
19	20	21	22	23	24	25
26	27	28	29	30		

9월

4 (1) 안 (2) 급하지
5 (1) ① 대 형 ② 대 지
　(2) 大 同 小 異

---

1 1주에서 배운 낱말을 떠올리며 알맞은 답을 만화에서 찾아 써 봅니다.

2 주어진 순서도를 따라가면 다음과 같습니다.

시작
↓
거미는 머리, 가슴, 배 세 부분으로 나뉘어 있나요?
아니요 ↓
거미는 다리가 세 쌍이고 날개가 달려 있나요?
아니요 ↓
거미는 곤충이 아니다.
↓
끝

3 우산을 챙겨야 하는 날은 비가 오는 날입니다. 일기 예보에서 비가 올 것이라고 한 날은 9월 24일 금요일입니다.

4 '복도'란 '건물 안에 다니게 된 통로.'라는 뜻이고 '천천히'는 '동작이나 태도가 급하지 않고 느리게.'라는 뜻입니다.

5 (1) ① 대형(大型): 같은 종류의 사물 가운데 큰 규격이나 규모.
　② 대지(大地): 대자연의 넓고 큰 땅.

┌─《 더 알아보기 》─────────────────
│ '大' 자가 들어간 낱말 예
│ • 대학(大學): 고등 교육을 베푸는 교육 기관.
│ • 확대(擴大): 모양이나 규모 따위를 늘이어서 크게 함.
│ • 대장부(大丈夫): 사내답고 씩씩한 남자.
└────────────────────────────────

　(2) 빈칸에 '큰 대(大)' 자를 적어 '큰 차이 없이 거의 같음.'이라는 뜻의 '대동소이(大同小異)'를 완성합니다.

052쪽~**053**쪽 　　　　**2주에는 무엇을 공부할까? ②**

1-1 고스란히　　　　　1-2 고스란히
2-1 (1) ○　　　　　　2-2 사냥꾼

1-1 '고스란히'라고 쓰는 것이 알맞습니다. '고스란이'
　　라는 글자는 없습니다.

1-2 '고스란이'라고 쓴 글자를 '고스란히'로 고쳐 써야
　　합니다.

2-1 '사냥꾼'이란 '사냥하는 사람.'을 뜻합니다. '사냥할
　　때 부리기 위하여 길들인 개.'는 '사냥개'입니다.

2-2 심부름을 하는 사람을 '심부름꾼'이라고 하고, 사
　　냥하는 사람은 '사냥꾼'이라고 합니다. 낱말 뒤에
　　'-꾼'을 붙이면 '어떤 일을 전문적으로 하는 사람.'
　　또는 '어떤 일을 잘하는 사람.'이라는 뜻이 됩니다.

055쪽 　　　똑똑한 **하루 독해** 미리 보기

1 거름　　　　**2** 고스란히

056쪽~**057**쪽 　　　똑똑한 **하루 독해**

1 (3) ○　　　2 기뻤다. 등　3 경미
4 ❶ 민들레　❷ 강아지똥

1 강아지똥이 민들레 몸 속으로 들어와야만 별처럼 고
　운 꽃이 핀다고 했습니다.

2 정말 거름이 되는 거냐고 여러 번 묻는 강아지똥의
　말과 민들레를 힘껏 껴안은 강아지똥의 행동을 보면
　기뻐하는 강아지똥의 마음을 알 수 있습니다.

　　　채점 기준
　　'기뻤다.' 등의 내용이 들어가게 답을 썼으면 정답으로
　　합니다.

3 경미는 글의 내용에 맞게 재미나 감동을 느낀 부분
　을 알맞게 말했습니다.

4 민들레와 강아지똥이 주고받는 말과 행동을 보고 글
　의 내용을 정리해 봅니다.

058쪽 　　　똑똑한 **하루 독해** 어휘

1 (1) ○
2 (1) | ! |　(2) | ? |　(3) | . |

1 (1) '소'의 새끼는 '송아지'라고 부르고 (2) '닭'의 새끼
　는 '병아리'라고 부릅니다.

　　{ **왜 틀렸을까?** }
　　(2)에서 '망아지'는 '말'의 새끼를 부르는 말입니다.

2 (1) '어머나'는 느낌을 나타내는 문장이므로 | ! |(느
　　낌표)를 씁니다.

　　(2) '정말 그러니'는 묻는 문장이므로 | ? |(물음표)를
　　쓰니다.

　　(3) '강아지똥을 봤어요'는 설명하는 문장이므로 | . |
　　(마침표)를 씁니다.

059쪽 　　　똑똑한 **하루 독해** 게임

(1) 그림 **㉮**를 그림판의 ② 에 놓기
(2) 그림 **㉯**를 그림판의 ③ 에 놓기
(3) 그림 **㉰**를 그림판의 ① 에 놓기

그림 **㉮**를 그림판의 ②에, 그림 **㉯**를 그림판의 ③에,
그림 **㉰**를 그림판의 ①에 놓아서 위와 같은 그림이
되게 그림을 완성해 봅니다.

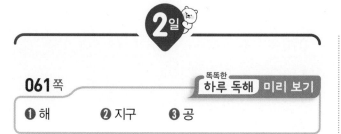

061쪽 　　　　　똑똑한 하루 독해　미리 보기

❶ 해　　❷ 지구　　❸ 공

062쪽~**063**쪽　　　똑똑한 하루 독해

1 ④　　　2 어둡다. 등　3 (2) ○
4 ❶ 지구　❷ 낮　❸ 밤

1 이 글은 낮과 밤이 생기는 까닭에 대해 설명하는 글입니다.

2 해가 떠 있는 낮과 해가 진 밤의 다른 점은 무엇인지 찾아봅니다.

> **채점 기준**
> '어둡다'라는 내용이 들어가게 답을 썼으면 정답으로 합니다.

3 '빙글빙글'은 '큰 것이 잇따라 미끄럽게 도는 모양.'을 흉내 내는 말로, '뺑글뺑글'이나 '핑글핑글' 등으로 바꾸어 쓸 수 있습니다.

> (더 알아보기)
> • **방실방실**: 입을 예쁘게 살짝 벌리고 자꾸 소리 없이 밝고 보드랍게 웃는 모양을 흉내 내는 말입니다.
> • **뺑글뺑글**: 큰 것이 잇따라 미끄럽게 도는 모양을 흉내 내는 말로, '빙글빙글'보다 센 느낌을 줍니다.
> • **핑글핑글**: 큰 것이 잇따라 미끄럽게 도는 모양을 흉내 내는 말로, '빙글빙글'보다 거센 느낌을 줍니다.

4 어떤 일이 원인이 되어 낮과 밤이 생기는 결과가 나타났는지 글의 내용을 정리해 봅니다. 이 글에서는 지구가 하루에 한 번씩 돌기 때문에 낮과 밤이 번갈아 생기는 것이라고 설명하고 있습니다.

064쪽　　　　　똑똑한 하루 독해　어휘

1 (1) 세모나다　(2) 둥글다
2 (1) ②　(2) ③　(3) ①

---

1 사진을 보고 각각의 모양에 어울리는 말을 찾아봅니다.

> (더 알아보기)
> **모양을 나타내는 낱말의 뜻**
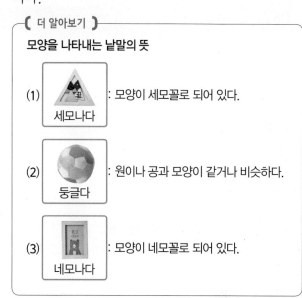
> (1) 세모나다 : 모양이 세모꼴로 되어 있다.
> (2) 둥글다 : 원이나 공과 모양이 같거나 비슷하다.
> (3) 네모나다 : 모양이 네모꼴로 되어 있다.

2 (1) '뜨다'는 '물 위나 공중에 있거나 위쪽으로 솟아오르다.'라는 뜻으로, 뜻이 반대인 낱말은 '지다'입니다.
(2) '밝다'는 '불빛 따위가 환하다.'라는 뜻으로, 뜻이 반대인 낱말은 '어둡다'입니다.
(3) '낮'은 '해가 뜰 때부터 질 때까지의 동안.'이라는 뜻으로, 뜻이 반대인 낱말은 '밤'입니다.

> (더 알아보기)
> ①: '밤'은 '해가 져서 어두워진 때부터 다음 날 해가 떠서 밝아지기 전까지의 동안.'을 뜻합니다.
> ②: '지다'는 '해나 달이 서쪽으로 넘어가다.'라는 뜻입니다.
> ③: '어둡다'는 '빛이 없어 밝지 않다.'라는 뜻입니다.

065쪽　　　　　똑똑한 하루 독해　게임

(1) 낮 이네. 해가 떠 있어.
(2) 밤 이군. 해가 져서 캄캄해.

◐ 해가 떠 있을 때는 '낮'이고 해가 져서 캄캄할 때는 '밤'입니다. 자석 인형과 지구를 본떠 만든 모형을 이용한 과학 실험을 통해 낮과 밤이 생기는 까닭을 좀 더 쉽게 알 수 있습니다.

067쪽　　　　　　　　똑똑한 하루 독해　미리 보기

1 은혜　　　**2** 보답

068쪽~**069**쪽　　　　　　　똑똑한 하루 독해

1 (2) ○　　　**2** ②　　　**3** 비명 소리 등
4 ❶ 개미　❷ 발

1 개미는 비둘기에게 위험하다는 것을 알려 주려고 손을 흔들며 소리를 치고 있는 상황이므로, 다급하게 소리치는 목소리로 말해야 합니다.

　(왜 틀렸을까?)
　　개미는 위험에 처한 비둘기를 도와주려고 하므로 밝고 즐거운 목소리는 알맞지 않습니다.

2 개미는 아무리 소리를 치고 손을 흔들어도 비둘기가 사냥꾼이 나타난 것을 알지 못하자 사냥꾼의 발을 힘껏 물어서 사냥꾼이 비명을 지르게 했습니다.

　(왜 틀렸을까?)
　　⑤: 개미가 사냥꾼에게 살려 달라고 소리를 지른 것이 아니라 비둘기에게 위험하다고 알려 주기 위해 소리친 것입니다.

3 비둘기는 개미에게 물려서 따가워하는 사냥꾼의 비명 소리를 듣고 놀라서 하늘 높이 날아갔습니다.

　　채점 기준
　　사냥꾼의 비명 소리나 소리를 들었다는 내용이 들어가게 답을 썼으면 정답으로 합니다.

4 개미가 어떻게 비둘기를 구해 줄 수 있었는지 글의 내용을 요약해 봅니다.

　(더 알아보기)
　인물의 마음 알아보기
　• **개미**: 위험에 처한 비둘기가 걱정되는 마음, 비둘기에게 받은 은혜에 보답할 수 있어서 기쁜 마음 등
　• **비둘기**: 자신을 살려 준 개미에게 무척 고마운 마음 등

070쪽　　　　　　　　똑똑한 하루 독해　어휘

1 (1) ○　　　**2** (1) ○
3 예 미소 → 소문 → 문제

1 (1)의 '작다'는 '길이, 넓이, 부피 등이 다른 것이나 보통보다 덜하다.'라는 뜻이므로, '개미가 너무 작다.'가 알맞습니다. '작다'와 뜻이 반대인 낱말은 '크다'입니다.

　(왜 틀렸을까?)
　　(2): '적다'는 '수나 양, 정도가 일정한 기준에 미치지 못하다.'라는 뜻으로, '적다'와 뜻이 반대인 낱말은 '많다'입니다.

2 자신을 살려 준 개미에 대한 비둘기의 마음에 알맞은 말은 '고맙구나'입니다.

3 '끝말잇기'는 앞사람이 말한 낱말의 끝 글자로 시작하는 낱말을 이어 가는 놀이입니다. '개미'의 '미'로 시작하는 낱말을 생각해 봅니다.

071쪽　　　　　　　　똑똑한 하루 독해　게임

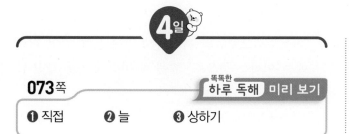

073쪽 　똑똑한 하루 독해 미리 보기

❶ 직접 　　❷ 늘 　　❸ 상하기

074쪽~075쪽 　똑똑한 하루 독해

1 (2) ○ 　　　　2 필요한 물건 등
3 ④, ② 　　　　4 ❶ 물물 교환 ❷ 시장

1 '물물 교환'은 '돈을 사용하지 않고 직접 물건과 물건을 바꾸는 일.'을 뜻합니다.

2 물건을 가지고 다니며 서로 바꾸는 물물 교환의 힘든 점을 정리해 봅니다.

> **채점 기준**
> 필요한 물건이나 원하는 물건 등의 내용이 들어가게 답을 썼으면 정답으로 합니다.

3 각각의 그림을 보고 어떤 상황을 나타내고 있는지 살펴봅니다.

> **더 알아보기**
>
> ①  → 서로 필요한 물건끼리 바꾸는 상황입니다.
>
> ②  → 물물 교환이 힘들어서 날짜와 장소를 정해 물건을 바꾸게 된 상황입니다.
>
> ③  → 자신이 가지고 있는 물건을 다른 것과 바꾸어 먹고 싶어 하는 상황으로, 물물 교환을 필요로 하고 있습니다.
>
> ④  → 무거운 물건을 갖고 다니며 물건을 바꿔야 해서 힘들어하는 상황입니다.

4 물건을 가지고 다니며 서로 바꾸는 물물 교환이 힘들어서 여러 가지 상품을 사고파는 곳인 시장이 생겨난 것입니다.

076쪽 　똑똑한 하루 독해 어휘

1 (2) ○ 　　2 (1) ② (2) ① (3) ③

1 '늘'은 '계속하여 언제나.'라는 뜻이므로, 뜻이 비슷한 낱말은 '언제나 변함없이.'라는 뜻을 가진 '항상'이 알맞습니다.

> **왜 틀렸을까?**
> • **가끔**: 어쩌다가 한 번씩.
> • **전혀**: 도무지. 또는 아주. 또는 완전히.

2 (1) '무거운'과 뜻이 반대인 낱말은 '가벼운'입니다.
(2) '먼'과 뜻이 반대인 낱말은 '가까운'입니다.
(3) '쉬운'과 뜻이 반대인 낱말은 '어려운'입니다.

> **더 알아보기**
> (1) **무거운**: 무게가 나가는 정도가 큰.
> ↔ **가벼운**: 무게가 일반적이거나 기준이 되는 대상의 것보다 적은.
> (2) **먼**: 거리가 많이 떨어져 있는.
> ↔ **가까운**: 어느 한 곳에서 다른 곳까지의 거리가 짧은.
> (3) **쉬운**: 가능성이 많은.
> ↔ **어려운**: 가능성이 거의 없는.

077쪽 　똑똑한 하루 독해 게임

 채민이가 산 채소는 모두 13 개이다.

● 오이 5개, 당근 3개, 가지 4개, 무 1개를 사 와야 하므로, 채민이가 사야 하는 채소는 모두 13개입니다. 이 계산을 식으로 나타내면 다음과 같습니다.

→ $5 + 3 + 4 + 1 = 13$

5일

079쪽 똑똑한 하루 독해 미리 보기

❶ 독서   ❷ 참가   ❸ 신청서

080쪽~081쪽 똑똑한 하루 독해

1 책   2 ①   3 이용 습관 등
4 ❶ 독서   ❷ 참가

---

1 '독서'는 '책을 읽음.'이라는 뜻으로, '책 읽기'로 바꾸어 쓸 수 있습니다.

2 1~3학년은 오전 9시 30분부터 11시 30분까지 활동한다고 했으므로, 오전 9시 30분까지 학교 도서관으로 가야 합니다.

(왜 틀렸을까?)
②: 오전 11시 30분은 1~3학년 학생의 활동이 끝나는 시각입니다.
③: 오후 1시 30분까지 가야 하는 것은 4~6학년 학생입니다.
④: 오후 3시 30분은 4~6학년 학생의 활동이 끝나는 시각입니다.

3 학교 도서관에서는 도서관 이용 습관을 길러 주기 위해 여름 방학 독서 교실을 연다고 하였습니다.

채점 기준
이용 습관이라는 내용이 들어가게 답을 썼으면 정답으로 합니다.

4 이 글은 여름 방학을 맞이하여 학교 도서관에서 여름 방학 독서 교실을 열고자 한다는 것을 알려 주기 위한 가정 통신문입니다.

082쪽 똑똑한 하루 독해 어휘

1 (2) ○   2 독서관 → 도서관   3 해설 참조

---

1 '버릇'은 '오랫동안 자꾸 반복하여 몸에 익어 버린 행동.'이라는 뜻으로, '습관'과 비슷한 뜻을 가진 낱말입니다.

(왜 틀렸을까?)
(1) '지혜'는 '삶의 이치와 옳고 그름을 잘 이해하고 판단하는 능력.'이라는 뜻입니다.

2 '도서관'을 '독서관'이라고 쓰지 않도록 주의합니다.

3

	신	나	는		여	름		방	학
이		다	가	왔	습	니	다	.	

083쪽 똑똑한 하루 독해 게임

084쪽~085쪽 평가 누구나 100점 테스트

1 ②, ④   2 거름
3 ③   4 (2) ○
5 (1) ② (2) ①   6 작가
7 ②   8 (1) ○
9 ㉮   10 참여

1 이 글에 나오는 인물은 민들레와 강아지똥입니다.

2 민들레가 고운 꽃을 피우려면 강아지똥이 거름이 되어 주어야 한다고 하였습니다.

3 강아지똥은 자신이 민들레의 꽃을 피우게 할 수 있다는 사실에 기뻐하며 민들레 싹을 힘껏 껴안았다고 하였습니다.

4 ㉠'낮'과 ㉡'밤'은 서로 뜻이 반대인 낱말이므로 뜻이 반대인 낱말의 관계를 찾습니다.

> **〔 더 알아보기 〕**
> '쉽다'는 '하기가 까다롭거나 힘들지 않다.'라는 뜻이고, '어렵다'는 '하기가 까다로워 힘에 겹다.'라는 뜻으로 뜻이 서로 반대인 낱말입니다.

5 '낮'은 '해가 비추는 밝은 쪽'이고, '밤'은 '해가 비추지 않는 어두운 쪽'입니다.

6 비둘기가 개미의 목소리를 듣지 못한 것은 개미의 목소리가 너무 작기 때문입니다.

> **〔 왜 틀렸을까? 〕**
> '적다'는 '수효나 분량, 정도가 일정한 기준에 미치지 못하다.'라는 뜻으로, 목소리의 크기는 '적다'가 아니라 '작다'라고 표현하는 것이 알맞습니다.

7 사냥꾼은 무엇인가가 자신의 발을 힘껏 물어서 따가운 나머지 비명을 질렀습니다.

8 '여간 힘든 게 아니었어요.'라는 말은 '매우 힘들었어요.'라는 뜻입니다.

> **〔 더 알아보기 〕**
> '여간'이라는 낱말은 주로 '아니다'라는 낱말과 함께 쓰입니다. '여간 어려운 일이 아니다.'라는 말은 '매우 어렵다.'라는 뜻이고, '여간 착한 게 아니다.'라는 말은 '매우 착하다.'와 같은 의미입니다.

9 신청은 7월 12일과 7월 13일 이틀간 받는다고 하였습니다. 7월 31일은 신청 날짜가 아니고 독서 교실을 여는 날짜에 해당합니다.

10 '참가'는 '모임이나 단체 또는 일에 관계하여 들어감.'이라는 뜻이고, '참여'는 '어떤 일에 끼어들어 관계함.'이라는 뜻으로 서로 바꾸어 쓸 수 있습니다.

086쪽~**091**쪽 　**특강** 창의·융합·코딩

1 ❶ 비명　❷ 거름　❸ 물물 교환
2 쇼핑 호스트
3 ❶ ➡　❷ ➡　❸ ⬇　❹ ➡　❺ ⬇
4 (1) 안 되고　(2) 된다
5 (1) ① 지방　② 평지
　　(2) 易地思之

1 2주에서 배운 낱말을 떠올리며 알맞은 답을 만화에서 찾아 써 봅니다.

2 홈쇼핑 채널에서 상품에 대하여 설명하고 사람들이 상품을 사도록 하는 사람을 쇼핑 호스트라고 합니다.

3 도서관에서 빌렸던 책을 먼저 반납하는 곳에 가서 돌려주고, 대여하는 곳에 가서 다른 책을 빌려야 합니다.

4 '보행자 전용 도로' 표지판은 길거리를 걸어서 다니는 사람만이 쓰는 도로이므로 차들은 들어오면 안된다는 뜻의 표지판입니다. '횡단보도' 표지판은 이곳에서 길을 건널 수 있다는 뜻의 표지판입니다.

5 (1) ① 지방(地方): 어느 방면의 땅.
　　② 평지(平地): 바닥이 평평하고 넓은 땅.
　　(2) '역지사지(易地思之)'란 처지를 바꾸어서 생각해 보는 것을 말합니다.

094쪽~095쪽 | 3주에는 무엇을 공부할까? ❷

1-1 15일	1-2 15
2-1 꾀	2-2 꾀

1-1 '보름'은 15일을 말합니다.

1-2 토리는 콩이에게 보름 뒤에 다시 만나러 간다고 하였으므로, 15일 뒤에 간다는 뜻입니다.

2-1 '꾀'는 '일을 잘 꾸며 내거나 해결해 내거나 하는 재치 있는 생각이나 방법.'이라는 뜻이고, '꽤'는 '보통보다 조금 더한 정도로.'라는 뜻입니다.

2-2 토끼가 죽을 위기에서 벗어나기 위해 재치 있는 생각을 한 것이므로 '꾀'에 해당합니다.

1일

097쪽 | 똑똑한 하루 독해 미리 보기

❶ 상   ❷ 소식

098쪽~099쪽 | 똑똑한 하루 독해

1 ②	2 (2) ○
3 매우 기뻐하였다. 등	4 ❶ 그릇 ❷ 사슴

1 '친구'와 바꾸어 쓸 수 있는 말은 '늘 친하게 어울려 노는 사람.'이라는 뜻의 '동무'입니다.

2 사슴은 그릇의 바닥을 떼어 염소의 아픈 다리에 발라 주어서 그릇에 구멍이 생겼습니다.

3 염소의 말을 들은 임금은 매우 기뻐하였습니다. 그리고 임금은 사슴한테 큰 상을 내렸습니다.

> **채점 기준**
> 염소의 말을 듣고 임금이 기뻐하거나 즐거워했다는 내용이 들어가게 답을 썼으면 정답으로 합니다.

4 임금은 사슴이 자기가 빚던 그릇의 바닥을 떼어 염소의 아픈 다리에 발라 주어서 그릇에 구멍이 생겼다는 말을 들었습니다. 이 사실을 알게 된 임금은 사슴에게 큰 상을 내렸습니다.

100쪽 | 똑똑한 하루 독해 어휘

1 (1) 묻다 (2) 대답하다   2 빛을

1 "네가 좋아하는 음식은 무엇이야?"는 궁금한 것을 묻는 말이고, "나는 떡볶이를 가장 좋아해."는 물어보는 내용에 대답하는 말입니다.

2 '빚다'는 '곡식 가루나 흙을 반죽하여 음식이나 물건을 만들다.'라는 뜻입니다.

> **〔 더 알아보기 〕**
>
> | | |
> |---|---|
> | 빛 | 태양, 별, 등불 따위에서 나와 어둠을 밝혀 물체를 볼 수 있게 하는 것.
⑩ 별이 빛을 내며 반짝인다. |
> | 빗 | 머리털을 빗을 때 쓰는 도구.
⑩ 현수는 빗으로 머리를 가지런히 하였다. |

101쪽 | 똑똑한 하루 독해 게임

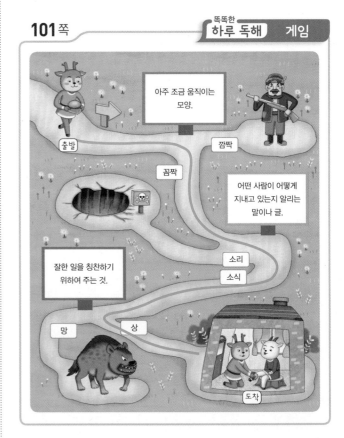

○ '꼼짝'은 '아주 조금 움직이는 모양.', '소식'은 '어떤 사람이 어떻게 지내고 있는지 알리는 말이나 글.', '상'은 '잘한 일을 칭찬하기 위하여 주는 것.'을 뜻합니다. 뜻에 알맞은 낱말을 찾아 길 찾기를 해 봅니다.

2일

103쪽 | 똑똑한 하루 독해 미리 보기

❶ 타악기 ❷ 현악기 ❸ 관악기

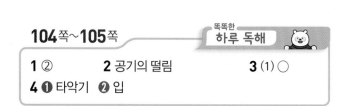

104쪽~105쪽 | 똑똑한 하루 독해

1 ② 2 공기의 떨림 3 (1) ○
4 ❶ 타악기 ❷ 입

1 이 글은 여러 가지 악기에 대하여 설명하고 있습니다.

2 소리는 공기의 떨림을 통해서 우리 귀까지 전해진다고 하였습니다.

> **채점 기준**
> 공기가 떨린다는 내용을 글에서 잘 찾아 썼으면 정답으로 합니다.

3 이 글에서 현악기는 줄을 손으로 튕기거나 활로 문질러서 소리를 내는 악기라고 하였으므로 바이올린, 기타, 첼로 등이 이에 해당합니다.

> **【 더 알아보기 】**
>
> **우리나라의 전통 현악기에 대하여 알아보기**
>
> | 가야금 | 오동나무로 만든 울림통에 열두 줄의 명주실을 꼬아 얹혀 만든 현악기로 손가락으로 뜯어 소리를 냅니다. |
> |---|---|
> | 거문고 | 오동나무와 밤나무를 붙여 만든 통 위에 명주실을 꼬아 만든 여섯 개의 줄이 걸쳐 있습니다. 대나무로 만든 술대로 줄을 튕겨 소리를 냅니다. |
>
>
>
> ▲ 가야금   ▲ 거문고

4 글에서 중요한 내용을 찾아 정리해 봅니다. 타악기는 두드려서 소리를 내는 악기로 가죽이나 쇠 등을 두드리거나 서로 부딪쳐서 소리를 냅니다. 관악기는 입으로 불어서 관 안의 공기를 떨게 하여 소리를 냅니다.

106쪽 | 똑똑한 하루 독해 어휘

1 악기   2 (1) 트럼펫 (2) 트라이앵글 (3) 실로폰

1 그림 속 친구는 악기를 연주하고 있습니다. '악기'는 '음악을 연주할 수 있게 만든 물건을 통틀어 이르는 말.'입니다.

2 타악기에는 탬버린과 드럼이 알맞고, 현악기에는 바이올린, 기타, 관악기에는 플루트, 리코더가 알맞습니다.

> **【 왜 틀렸을까? 】**
>
>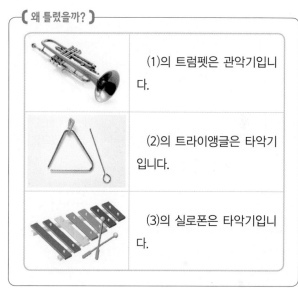
>
> | | |
> |---|---|
> | | (1)의 트럼펫은 관악기입니다. |
> | | (2)의 트라이앵글은 타악기입니다. |
> | | (3)의 실로폰은 타악기입니다. |

107쪽 | 똑똑한 하루 독해 게임

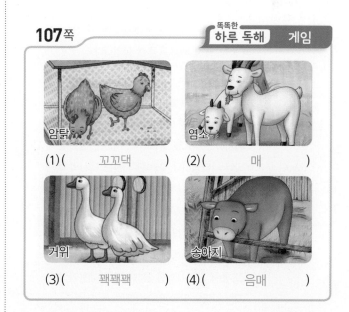

암탉
(1) (꼬꼬댁)

염소
(2) (매)

거위
(3) (꽥꽥꽥)

송아지
(4) (음매)

○ 노랫말에서 암탉은 '꼬꼬댁', 거위는 '꽥꽥꽥', 염소는 '매', 송아지는 '음매' 하고 울음소리를 표현하였습니다.

3일

109쪽 똑똑한 하루 독해 미리 보기

❶ 나무꾼 ❷ 꾀

110쪽~111쪽 똑똑한 하루 독해

1 나무꾼   **2** 땔감을 마련하려고 등   **3** (3) ○
4 ❶ 나무꾼   ❷ 탈

1 '나무꾼'이 알맞은 낱말입니다.

2 이 글에서 나무꾼은 땔감을 마련하려고 산에 갔다고 하였습니다.

> **채점 기준**
> 땔감을 마련한다는 내용이 들어가게 답을 썼으면 정답으로 합니다.

3 호랑이는 나무꾼의 거짓말을 듣고 어머님께 큰 잘못을 했다고 말하였습니다. 호랑이의 말로 보아 호랑이는 슬픈 표정을 지었을 것입니다.

> **【 더 알아보기 】**
> **희곡에 대하여 알아보기**
>
> | 뜻 | 공연을 하기 위하여 무대에서 배우가 할 말이나 동작, 표정, 배경 등을 쓴 글입니다. |
> |---|---|
> | 구성
요소 | • 해설: 희곡에서 때와 곳, 나오는 인물, 무대나 무대 바뀜 등을 설명하는 부분을 말합니다.
• 지문: 희곡에서 인물의 동작, 표정, 말투 등을 지시하는 부분을 말합니다. 지문은 괄호 안에 넣어 나타냅니다. 이러한 지문은 대사의 내용을 더욱 실감 나게 해 줍니다.
• 대사: 무대 위에서 등장인물끼리 서로 주고받는 대화나 등장인물의 혼잣말 등을 말합니다. 인물의 대사를 통해 그 인물의 성격을 알 수 있고, 인물 간의 대화를 통해 사건의 내용과 벌어지는 갈등도 알 수 있습니다. |

4 글에서 중요한 내용을 찾아 정리하여 봅니다. 나무꾼이 깊은 산속에서 무서운 호랑이를 만났습니다.

그리고 깜짝 놀란 나무꾼은 꾀를 내어 호랑이에게 형님이라고 불렀습니다. 나무꾼은 호랑이가 호랑이 탈을 쓰고 태어나서 마을에서 쫓겨났고 어머님은 형님이 보고 싶어서 매일 밤 잠을 못 이루고 계신다고 거짓말을 하였습니다.

112쪽 똑똑한 하루 독해 어휘

1 가면   **2** (1) 재주 (2) 씨름

1 '탈'과 바꾸어 써도 뜻이 자연스러운 낱말은 '가면'입니다.

2 '재주꾼'은 '재주가 많거나 뛰어난 사람.'을, '씨름꾼'은 '씨름을 잘하는 사람.'을 말합니다.

113쪽 똑똑한 하루 독해 게임

나무꾼이 산에서 또 호랑이를 만났습니다. 나무꾼은 점심으로 싸 온 떡을 어머니께서 싸 주셨다며 호랑이에게 주었습니다.

◉ 숨어 있는 그림 연필, 우산, 가위, 고추, 모자를 찾아봅니다.

4일

115쪽 　　　　　　　　**하루 독해 미리 보기**

1 무척　　　**2** 귀한

116쪽~117쪽 　　　　**하루 독해**

1 (1) 3　(2) 1　(3) 2　　　**2** ②
3 오래 살 수 있다　　　**4** ❶ 음식　❷ 신부

1 국수는 밀가루, 메밀가루, 감자 가루 따위를 반죽한 다음, 반죽을 손이나 기계 따위로 가늘고 길게 뽑아 내어 삶아 만듭니다.

2 '귀하다'는 '흔하지 않아 구하거나 얻기가 어렵다.'는 뜻입니다.

3 옛날에는 국수가 무척 귀한 음식이었고, 길이가 긴 국수를 먹으면 오래 살 수 있다고 생각했습니다.

> **채점 기준**
> 오래 살 수 있다는 내용을 잘 찾아 썼으면 정답으로 합니다.

4 결혼식 때 국수를 먹은 까닭을 정리하여 봅니다. 옛날에는 손님들에게 귀한 음식을 대접하려는 마음과 신랑, 신부가 오래도록 함께 잘 살기를 바라는 마음으로 결혼식 때 국수를 나누어 먹었습니다.

118쪽 　　　　　　　　**하루 독해 어휘**

1 (1) 가늘다　(2) 굵다　(3) 길다　(4) 짧다
2 예 수박 → 박자 → 자두

1 (1)에서는 아이가 가는 실을 들고 있으므로 '가늘다'가 알맞고, (2)에서는 아이가 굵은 줄을 들고 있으므로 '굵다'가 알맞습니다. (3)에서는 아이가 두 팔을 있는 힘껏 벌려 긴 끈을 잡고 있으므로 '길다'가 알맞고, (4)에서는 아이가 매우 짧은 끈을 잡고 있으므로 '짧다'가 알맞습니다.

2 '국수' 다음에 '수'로 시작하는 낱말을 생각해 써 봅니다. '수'로 시작하는 낱말에는 수박, 수염, 수건, 수영 등이 있습니다.

119쪽 　　　　　　　　**하루 독해 게임**

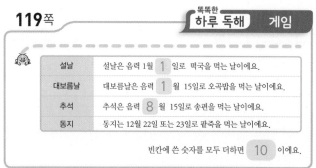

설날	설날은 음력 1월 **1** 일로 떡국을 먹는 날이에요.
대보름날	대보름날은 음력 **1** 월 15일로 오곡밥을 먹는 날이에요.
추석	추석은 음력 **8** 월 15일로 송편을 먹는 날이에요.
동지	동지는 12월 22일 또는 23일로 팥죽을 먹는 날이에요.

빈칸에 쓴 숫자를 모두 더하면 **10** 이에요.

○ 설날은 음력 1월 1일이고, 대보름날은 음력 1월 15일입니다. 그리고 추석은 음력 8월 15일입니다. 빈칸에 쓴 숫자를 모두 더하는 것을 식으로 나타내면 아래와 같습니다.

$$1 + 1 + 8 = 10$$

〔 더 알아보기 〕

설날, 대보름날, 단오, 추석, 동지에 대하여 알아보기

설날	한 해의 시작을 알리며 조상들에게 차례를 지내는 명절로, 떡국이나 만두를 먹으며 한 해의 건강을 비는 날입니다.
대보름날	한 해의 농사를 시작하기 위해 준비하는 때이며 집집마다 오곡밥과 나물을 차려 놓고, 부럼을 깨뜨려 먹었습니다.
단오	모내기를 마친 다음, 풍년을 바라며 여러 가지 행사를 열고, 수리취떡이나 앵두화채 등을 만들어 먹었습니다. 수리취떡은 수리취의 잎을 넣어서 만드는데, 수레바퀴 모양의 떡살에 찍어 만듭니다.
추석	그 해에 처음으로 거둔 곡식과 과일을 조상에게 올리는 날입니다. 송편을 만들어 차례를 지내고 이웃들과 나누어 먹었습니다.
동지	밤이 가장 긴 날입니다. 이 날에는 귀신과 전염병을 막고, 좋은 일만 생기길 바라는 마음으로 붉은 팥죽을 먹었습니다.

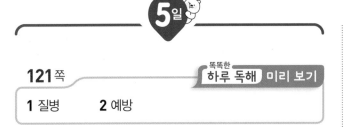

5일

121쪽 똑똑한 하루 독해 미리 보기

1 질병   2 예방

122쪽~123쪽 똑똑한 하루 독해

1 ⑤   2 병균이 생겨서 등
3 ❶ 손바닥   ❷ 손톱

1 이 글은 올바른 손 씻기 방법에 대하여 알려 주고 있습니다.

2 손 씻기를 제대로 하지 않으면 병균이 생겨서 여러 가지 병을 일으킬 수 있다고 하였습니다.

> **채점 기준**
> 병균이 생긴다는 내용을 글에서 잘 찾아 썼으면 정답으로 합니다.

3 손 씻는 방법을 정리해 봅니다.

손바닥	손바닥과 손바닥을 마주 대고 문질러 줍니다.
손등	손등과 손바닥을 마주 대고 문질러 줍니다.
손가락 사이	손바닥을 마주 대고 손깍지를 끼고 문질러 줍니다.
두 손 모아	손가락을 마주 잡고 문질러 줍니다.
엄지 손가락	엄지손가락을 다른 편 손바닥으로 돌려 주면서 문질러 줍니다.
손톱 밑	손가락을 반대편 손바닥에 놓고 문지르며 손톱 밑을 깨끗하게 합니다.

124쪽 똑똑한 하루 독해 어휘

1 씻습니다   2 (1) 손가락 (2) 손바닥 (3) 손톱 (4) 손등

1 '씻다'는 '더러운 것을 물로 문질러 깨끗하게 하다.'라는 뜻입니다.

2 손의 여러 부위를 뜻하는 말을 보기 에서 찾아 써 봅니다.

125쪽 똑똑한 하루 독해 게임

손 을 깨끗이 씻어 각종 질병에 걸리는 것을 예방합시다.

○ 손가락이 가리키는 낱자는 'ㅅ, ㅗ, ㄴ'입니다. 낱자를 이용해 문장에 알맞은 글자를 만들면 '손'입니다.

126쪽~127쪽 평가 누구나 100점 테스트

1 구멍   2 ③
3 (1) ○   4 (1) ① (2) ②
5 ㉡   6 (2) ○
7 ②   8 국수
9 ㉢   10 (3) ○

1 사슴은 염소를 도와주다가 구멍 난 그릇을 빚게 되었습니다.

2 사슴은 염소의 아픈 다리를 낫게 해 주려고 자기가 빚던 그릇의 바닥을 떼어 염소의 다리에 발라 주었습니다.

3 '빚다'는 '곡식 가루나 흙을 반죽하여 음식이나 물건을 만들다.'라는 뜻입니다.

{ 더 알아보기 }

(2)에서 '머리'와 '빗'이라는 낱말이 함께 쓰인 것으로 보아 '빗던'이 아니라 '빗던'이라고 써야 합니다. '빗다'는 '머리털을 빗 따위로 가지런히 고르다.'라는 뜻입니다.

4 '타악기'는 두드리거나 서로 부딪치며 소리가 나는 악기이고, '현악기'는 줄을 손으로 튕기거나 활로 문지르면서 소리가 나는 악기입니다.

5 기타, 첼로, 바이올린은 모두 줄을 손으로 튕기거나 활로 문질러서 소리를 내는 악기로, 현악기에 해당합니다.

{ 왜 틀렸을까? }

드럼은 두드려서 소리를 내는 악기로, 타악기입니다.

6 나무꾼은 호랑이가 원래는 자신의 형님인데 호랑이 탈을 쓰고 태어나서 마을에서 쫓겨난 것이라고 말하였습니다.

7 ㉠'이루고' 대신 다른 낱말을 넣어 봅니다. 잠을 못 이룬다는 말은 잠을 자지 못한다는 뜻입니다.

8 옛날에는 결혼식 때 국수를 나누어 먹었다고 하였습니다.

9 옛날에 결혼식 때 국수를 나누어 먹은 까닭은 손님들에게 귀한 음식을 대접하려는 마음과 신랑, 신부가 오래도록 함께 잘 살기를 바라는 마음 때문이라고 하였습니다.

10 손바닥과 손등, 손가락 사이까지 열심히 문질러서 씻어야 합니다.

128쪽~133쪽 **특강** 창의·융합·코딩

1 ❶ 땔감 **❷** 나무꾼 **❸** 대접

2 (3) ○

3 (2) ○

4 (1) 안 (2) 없어

5 (1) ① | 탈 | 출 | ② | 출 | 발 |

(2) | 杜 | 門 | 不 | 出 |

---

1 3주에서 배운 낱말을 떠올리며 알맞은 답을 만화에서 찾아 써 봅니다.

2 듬이는 우리의 전통 음식을 소셜 네트워크 서비스에 올린다고 했으므로 삼계탕 사진을 올려야 합니다.

{ 왜 틀렸을까? }

(1)은 스시로 일본의 대표 음식이고, (2)는 피자로 서양에서 들어온 음식입니다.

3 입구로 들어가 손을 씻고 체온을 측정한 다음에 도자기 체험 교실에 들어갈 것이라고 하였습니다. '출발' 칸에서 위쪽으로 1칸, 왼쪽으로 1칸 이동하는 것을 3번 반복하면 손을 씻고 체온을 측정한 다음, 도자기 체험 교실에 들어갈 수 있습니다. 코딩 명령에 따라 이동하면 다음과 같습니다.

4 '실내'는 '방이나 건물 따위의 안.'이라는 뜻으로 미술관 안에서는 사진을 찍으면 안 된다고 하였습니다. '불가'는 '옳지 않거나 할 수 없음.'이라는 뜻으로 미술관에 반려동물의 출입 및 장난감 반입이 불가하다는 것으로 보아 데려가거나 가지고 갈 수 없다는 것을 뜻합니다.

5 (1) ① 탈출(脫出): 자유롭지 못하거나 위험한 곳에서 빠져나옴.

② 출발(出發): 목적지를 향하여 나아감.

(2) '두문불출(杜門不出)'은 '집 안에만 틀어박혀 밖으로 나다니지 않음.'을 뜻합니다.

136쪽~137쪽 | 4주에는 무엇을 공부할까? 2

1-1 (1) ◯
1-2 (1) ◯
2-1 김칫독
2-2 김칫독

1-1 온 시장이 땅콩 천지라는 말은 땅콩이 대단히 많음을 뜻합니다.

1-2 교실에 쓰레기가 매우 많다는 뜻이므로 (1)이 알맞습니다. (2)는 '하늘과 땅을 아울러 이르는 말.'입니다.

2-1 김칫독이라고 쓰는 것이 알맞습니다.

2-2 '김치'와 '독'이라는 두 낱말이 하나로 합해지면서 사이에 'ㅅ'이 들어와 '김칫독'이라는 낱말이 되었습니다.

1일

139쪽 | 똑똑한 하루 독해 미리 보기

1 꺼벙이   2 천지

140쪽~141쪽 | 똑똑한 하루 독해

1 ②   2 ②   3 땅콩을 주웠다. 등
4 ❶ 억수 ❷ 땅콩

1 ⊙'땅콩 천지'에 쓰인 '천지'는 '대단히 많음.'이라는 뜻으로, '땅콩 천지'는 땅콩이 아주 많았다는 뜻입니다.

2 꺼벙이 억수는 시장 골목에서 땅콩을 파는 할머니의 땅콩이 모두 쏟아지자 시장 바닥에서 땅콩을 주워 주었습니다. 그런 억수에게 할머니는 고마운 마음을 느꼈을 것입니다.

3 억수는 시장 바닥에 떨어진 땅콩을 주웠습니다.

> **채점 기준**
> 땅콩을 주웠다는 내용이 들어가게 답을 썼으면 정답으로 합니다.

4 꺼벙이 억수가 땅콩을 파는 장사꾼 할머니의 땅콩을

주워 준 일이 원인이 되어 할머니가 억수를 찾아와 억수에게 땅콩을 준 결과를 떠올리며 빈칸에 알맞은 말을 각각 써 봅니다.

142쪽 | 똑똑한 하루 독해 어휘

1 (1) 장사치 (2) 재빠르게
2 (1) 그저께 (2) 어제 (3) 내일 (4) 모레

1 (1) '장사꾼'은 '장사하는 사람을 낮잡아 이르는 말.'이라는 뜻으로, '장사치'와 뜻이 비슷한 낱말입니다.
   (2) '잽싸게'는 '동작이 매우 빠르고 날래게.'라는 뜻으로, '재빠르게'와 뜻이 비슷한 낱말입니다.

2 (1) 27일은 어제(28일)의 전날인 '그저께'입니다.
   (2) 28일은 오늘(29일)의 바로 전날인 '어제'입니다.
   (3) 30일은 오늘(29일)의 바로 다음 날인 '내일'입니다.
   (4) 31일은 내일(30일)의 다음 날인 '모레'입니다.

143쪽 | 똑똑한 하루 독해 게임

(7 , 8 , ⑨)개의 땅콩을 찾았어요.

○ 억수가 찾은 땅콩의 개수를 차례대로 더해 보면 '3+1+2+1+2=9'가 됩니다.

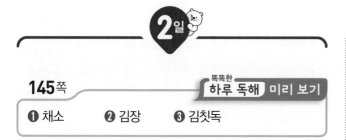

2일

145쪽

❶ 채소　　❷ 김장　　❸ 김칫독

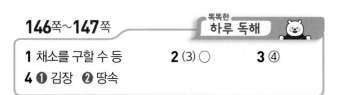

146쪽~147쪽

1 채소를 구할 수 등　　**2** (3) ○　　**3** ④
4 ❶ 김장　❷ 땅속

1 옛날에는 겨울철에 채소를 구할 수 없었기 때문에 겨울에도 채소를 먹기 위하여 겨울에 먹을 김치를 한꺼번에 담그는 '김장'을 했습니다.

> **채점 기준**
> 채소를 구할 수 없었다는 내용이 들어가게 답을 썼으면 정답으로 합니다.

2 옛날에는 겨울철에 채소를 구할 수 없었던 일이 원인이 되어 겨울에 먹을 김치를 한꺼번에 담근 결과가 생겼으므로 빈칸에 알맞은 말은 '그래서'입니다.

> **{ 왜 틀렸을까? }**
> (1) **그리고**: 서로 비슷한 내용의 두 문장을 이어 주는 말
> (2) **그러나**: 서로 반대되는 내용을 이어 주는 말

3 김장 김치를 김칫독에 넣어 땅속에 묻으면 기온이 오르내려도 땅속은 온도가 일정하기 때문에 김치 맛이 좋고, 쉽게 변하지 않는다고 하였습니다.

> **{ 더 알아보기 }**
> 땅에 묻은 김칫독을 적당한 온도로 보관하기 위해서 짚으로 덮거나 움집 모양의 집을 만들기도 했습니다.

4 '김장'의 뜻과 김장을 담근 까닭을 정리하여 빈칸에 알맞은 말을 각각 씁니다.

148쪽

1 (1) 야채　(2) 엄동　　**2** (1) ①　(2) ③　(3) ②

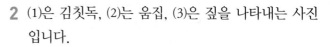

1 '채소'와 뜻이 비슷한 낱말은 '야채'이고, '한겨울'과 뜻이 비슷한 낱말은 '엄동'입니다.

> **{ 더 알아보기 }**
> 글을 쓸 때에 한 낱말을 되풀이해서 쓰기보다는 쓰임에 따라 뜻이 비슷한 다른 낱말을 다양하게 사용하면 내용을 더 풍부하게 할 수 있습니다.

2 (1)은 김칫독, (2)는 움집, (3)은 짚을 나타내는 사진입니다.

149쪽

(1) 배추　(2) 젓갈　(3) 소

◯ 옛날에는 김장을 담가 겨우내 채소를 먹을 수 있었습니다. 김치는 '재료 준비하기 → 배추 절이기 → 무채 만들기 → 배추에 넣을 소 만들기 → 젓갈 넣기 → 소 넣기'의 순서대로 담급니다. 김치를 담그는 차례를 생각하며 빈칸에 알맞은 말을 각각 써 봅니다.

> **{ 더 알아보기 }**
> **지역별 대표 김치 알아보기**
> • **평안도**: 백김치
> • **함경도**: 동치미
> • **황해도**: 호박김치
> • **강원도**: 더덕김치
> • **서울, 경기도**: 보쌈김치
> • **충청도**: 열무김치
> • **전라도**: 고들빼기김치
> • **경상도**: 깻잎김치
> • **제주도**: 해물김치
>
>
> ▲ 동치미　　　　　▲ 열무김치

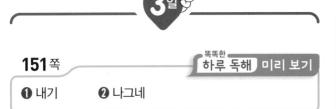

3일

151쪽 하루 독해 미리 보기

❶ 내기　　❷ 나그네

152쪽~153쪽 하루 독해

1 ④　　2 ㉮　　3 햇볕을 강하게 내리쬐었다.
등　　4 ❶ 바람 ❷ 해님

1 바람이 누가 더 힘이 센지 내기하자고 말하자 해님이 흔쾌히 받아들이는 장면에 어울리는 목소리는 자신 있는 목소리입니다.

【 더 알아보기 】
연극을 하기 위한 글에서 괄호 안에 쓰여 있는 인물의 행동이나 표정, 목소리를 나타내는 부분을 '지문'이라고 합니다.

2 '옷깃'은 '양복 윗옷에서 목둘레에 길게 덧붙여 있는 부분.'이라는 뜻으로, 그림에서 알맞은 부분은 ㉮입니다.

【 왜 틀렸을까? 】

㉯: 단추
㉰: 소매

3 해님이 햇볕을 강하게 내리쬐자, 나그네는 땀을 뻘뻘 흘리며 외투를 벗었습니다.

　채점 기준
　햇볕을 내리쬐었다는 내용이 들어가게 답을 썼으면 정답으로 합니다.

4 바람과 해님이 내기를 하여 결국 누가 나그네의 외투를 벗길 수 있었는지 일이 일어난 차례를 생각하며 빈칸에 알맞은 말을 각각 씁니다.

154쪽 하루 독해 어휘

1 (1) 해　(2) 입　　2 (1) 후후　(2) 쨍쨍　(3) 뻘뻘

1 (1) '해님'은 해를 사람처럼 생각하고 높여 이르는 말로, '햇님'이라고 쓰지 않도록 주의해야 합니다.
(2) '입김'은 '입에서 나오는 더운 김.'이라는 뜻입니다.

【 왜 틀렸을까? 】
코에서 나오는 더운 김을 나타내는 낱말은 '콧김'입니다.

2 (1) 바람이 입김을 부는 내용에 어울리는 흉내 내는 말은 '입을 동글게 오므려 내밀고 입김을 자꾸 내뿜는 소리. 또는 그 모양.'을 뜻하는 '후후'입니다.
(2) 해님이 햇볕을 내리쬐었다는 내용에 어울리는 흉내 내는 말은 '햇볕 따위가 몹시 내리쬐는 모양.'을 뜻하는 '쨍쨍'입니다.
(3) 나그네가 땀을 흘렸다는 내용에 어울리는 흉내 내는 말은 '땀을 매우 많이 흘리는 모양.'이라는 뜻의 '뻘뻘'입니다.

【 더 알아보기 】
흉내 내는 말
흉내 내는 말은 사람이나 사물의 소리나 모양을 나타내는 말입니다. 흉내 내는 말을 사용하면 더 자세하게 글을 쓸 수 있고, 느낌을 생생하게 표현할 수 있으며 실감이 나서 좋습니다.

155쪽 하루 독해 게임

햇 볕 을 내리쬐세요!

◉ 「해님과 바람」의 내용을 떠올리며 바람과 누가 더 힘이 센지 내기를 한 해님이 나그네의 외투를 어떻게 벗길 수 있었는지 생각해 보고, 각 그림이 나타내는 낱자를 알맞게 조합하여 암호를 풀어 봅니다.

4일

157쪽 · 똑똑한 하루 독해 미리 보기

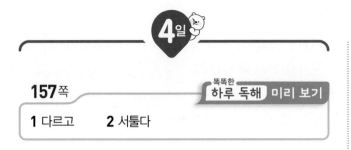

1 다르고   2 서툴다

158쪽~159쪽 · 똑똑한 하루 독해

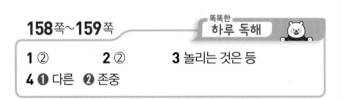

1 ②   2 ②   3 놀리는 것은 등

4 ❶ 다른 ❷ 존중

1 ㉠'다른 점'과 비슷한 뜻을 가진 말은 '서로 같지 않고 다른 점.'이라는 뜻의 ②'차이점'입니다.

(왜 틀렸을까?)
① 단점: 잘못되고 모자라는 점.
③ 같은 점: 서로 다르지 않고 하나인 점.
④ 틀린 점: 셈이나 사실 따위가 그르게 되거나 어긋난 점.
⑤ 잘못된 점: 어떤 일이 그릇되거나 실패로 돌아가는 점.

2 글쓴이는 우리 모두는 서로 생김새도 다르고, 좋아하는 것도 다르기 때문에 세상에서 하나밖에 없는 특별한 사람이라고 하였습니다.

3 글쓴이는 자신과 다른 친구들을 만났을 때 놀리는 것은 옳지 않다고 하였습니다.

채점 기준
'놀리는 것'이라는 내용이 들어가게 답을 썼으면 정답으로 합니다.

4 이 글과 같이 주장하는 글에는 글쓴이가 하고 싶은 말이 나타나 있습니다. 이 글에서 글쓴이가 하고 싶은 말을 정리하여 빈칸에 알맞은 말을 각각 써 봅니다.

160쪽 · 똑똑한 하루 독해 · 어휘

1 (1) 서툴다 (2) 다르다
2 (1) 달랐다 (2) 틀렸다

1 (1) 그림에 나타난 아이의 모습에 어울리는 낱말은 '서툴다'입니다.

(2) 체육복의 색깔은 잘못되거나 어긋난 것이 아니라 서로 같지 않은 것이므로 알맞은 낱말은 '다르다'입니다.

2 (1) '서로 다르지 않고 하나이다.'라는 뜻의 '같다'와 뜻이 반대인 낱말은 '다르다'입니다.

(2) '문제에 대한 답이 틀리지 않다.'라는 뜻의 '맞다'와 뜻이 반대인 낱말은 '틀리다'입니다.

161쪽 · 똑똑한 하루 독해 · 게임

◎ 생김새와 좋아하는 것이 달라도 모두가 존중받아야 한다는 사실을 생각하며, 다문화 축제의 한 장면을 살펴보고 두 그림에서 다른 곳 다섯 군데를 모두 찾아 ○표를 해 봅니다.

(더 알아보기)
우리나라의 다문화 축제 예
• 제주도의 '다민족문화제'
• 경상남도 이주민 센터가 주최하는 '마이그런츠아리랑'
• 서울의 '지구촌 나눔 한마당'
• 대구의 '컬러풀 다문화 축제'

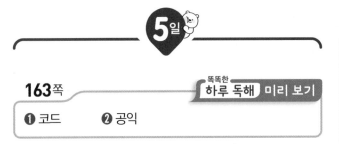
5일

163쪽 **똑똑한 하루 독해 미리 보기**

❶ 코드   ❷ 공익

164쪽~165쪽 **똑똑한 하루 독해**

1 ㉰   **2** ⑤   **3** 돈을 아낄 수 있다. 등
4 ❶ 광고 ❷ 전기

---

1 '코드'는 '전기 기구에 전기가 들어오게 하는 줄.'이라는 뜻이므로, 알맞은 것은 ㉰입니다.

2 이 광고에서는 전기를 돈처럼 생각하고 아껴 쓰자는 말을 하고 있습니다.

(**더 알아보기**)
상업 광고와 공익 광고의 차이
• **상업 광고**: 상품을 널리 알리기 위하여 정보를 제공하고 사람들이 상품을 선택하도록 설득하는 광고
• **공익 광고**: 나라와 국민 전체의 이익을 위하여 만든 광고

3 전기도 '돈'이라고 하였으므로 전기를 아껴 쓰면 돈을 아낄 수 있다는 사실을 알 수 있습니다.

채점 기준
돈을 아낄 수 있다는 내용이 들어가게 답을 썼으면 정답으로 합니다.

4 이 광고에서 하고 싶은 말을 떠올려 빈칸에 알맞은 내용을 각각 써 봅니다.

(**왜 틀렸을까?**)
편지: 안부, 소식, 용무 따위를 적어 보내는 글.

166쪽 **똑똑한 하루 독해 어휘**

1 (1) 꽃 (2) 꽃
2 (1) 공익 (2) 아무 (3) 광고 (4) 코드

---

1 '꽃다'의 '꽃'과 '특유의 모양과 빛깔, 향기가 있으며 줄기 끝에 달려 있는 식물의 한 부분. 또는 그것이

피는 식물.'을 뜻하는 '꽃'을 잘 구별하여 알맞은 글자를 각각 써 봅니다.

2 제시된 낱말을 보고, 각 문장에 어울리는 낱말을 각각 찾아 써 봅니다.

167쪽 **똑똑한 하루 독해 게임**

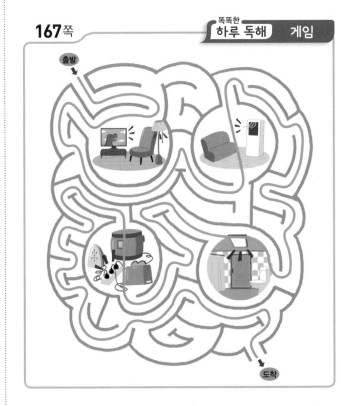

◎ 전기를 돈처럼 생각하고 아껴 써야 한다는 사실을 떠올리며, 전기가 낭비되고 있는 장소 네 곳을 모두 지나갈 수 있도록 알맞게 선을 그어 길을 찾아봅니다.

168쪽~169쪽 **평가 누구나 100점 테스트**

1 땅콩   **2** ⑤
3 빠른   **4** 정연
5 ①, ⑤   **6** 해님
7 (1) ○   **8** 햇볕
9 (2) ○   **10** 성아

---

1 할머니는 학교 앞 시장 골목에서 땅콩을 파는 장사꾼이라고 하였습니다.

2 그저께 오토바이가 지나가다가 할머니 가게의 땅콩을 죄다 쏟은 일이 있었는데 그때 억수가 뛰어오더니 할머니네 땅콩을 주워 주었습니다.

3 '잽싸다'는 '동작이 매우 빠르고 날래다.'라는 뜻이므로 '빠르다'와 바꾸어 쓸 수 있습니다.

4 김장은 겨울에 먹을 김치를 한꺼번에 담그는 것을 뜻합니다.

5 김장 김치를 김칫독에 넣어 땅속에 묻으면 기온이 오르내려도 땅속은 온도가 일정하기 때문에 김치 맛이 좋고, 쉽게 변하지 않는다고 하였습니다.

6 해님과 바람 가운데에서 나그네의 외투를 벗긴 인물은 바로 해님입니다.

7 옷깃을 단단히 여미며 바람이 불고 춥다고 하였으므로 (1)의 모습이 알맞습니다.

〔 왜 틀렸을까? 〕
　(2)는 더워서 외투를 벗은 모습으로 해님이 햇볕을 강하게 내리쬐었을 때의 장면입니다.

8 '햇빛'이라고 쓰는 낱말은 없습니다. '햇볕'이라고 써야 합니다.

9 글쓴이는 자신과 다른 친구를 만나면 그 친구의 다른 점을 인정하고 존중해 주어야 한다고 하였습니다.

10 전기를 아껴 쓰자는 내용을 알리고 있는 광고입니다. 따라서 쓰지 않는 가전제품의 코드를 빼 둔 성아가 광고의 내용을 잘 실천하고 있다고 할 수 있습니다.

170쪽~175쪽  특강 창의·융합·코딩

1 ❶ 전학 ❷ 존중 ❸ 김장
2 (1) 장금(이) (2) 동이
3 씬짜오
4 (1) 주 (2) 지난 (3) 몸
5 (1) ① 천 성 ② 천 재
　 (2) 天 下 泰 平

1 4주에서 배운 낱말을 떠올리며 알맞은 답을 만화에서 찾아 써 봅니다.

2 김치를 가장 많이 가져가게 될 사람과 가장 적게 가져가게 될 사람을 따져 보는 문제입니다. 연생이는 30포기, 장금이는 35포기, 동이는 28포기의 배추 속

을 넣었으므로, 장금이, 연생이, 동이 순으로 김치를 많이 가져가게 됩니다.

〔 더 알아보기 〕
・35 > 30 > 28

3 오른쪽으로 한 칸, 아래쪽으로 한 칸 이동하는 것을 세 번 반복하면 "씬짜오."라고 인사하는 베트남 친구를 만나게 됩니다.

〔 더 알아보기 〕
　'굿모닝'은 미국의 인사말, '오하요'는 일본의 인사말, '나마스테'는 인도의 인사말, '니하오'는 중국의 인사말, '봉주르'는 프랑스의 인사말, '잠보'는 케냐의 인사말, '씬짜오'는 베트남의 인사말에 해당합니다.

4 '주간'은 월요일부터 일요일까지 한 주일 동안이라는 뜻으로 주간 날씨는 한 주 동안의 날씨를 알려 주는 것입니다. 평년보다 기온이 낮다는 것은 지난 같은 기간보다 기온이 낮을 것이라는 뜻입니다. '체감'이란 '몸으로 어떤 감각을 느낌.'이라는 뜻으로 체감 온도가 낮다는 것은 몸으로 느끼는 온도가 실제 기온보다도 낮다는 뜻입니다.

5 (1) ① 천성(天性): 본래 타고난 성격이나 성품.
　　② 천재(天才): 선천적으로 타고난, 남보다 훨씬 뛰어난 재주. 또는 그런 재주를 가진 사람.
　 (2) '천하태평(天下泰平)'은 '온 세상이 태평함. 어떤 일에 무관심한 상태로 걱정 없이 편안하게 있는 태도를 가벼운 놀림조로 이르는 말.'을 뜻합니다.

문제 읽을 준비는
저절로 되지 않습니다.

문해력을 키우는 시간

하루
10분

똑똑한 하루 국어 시리즈

문제풀이의 핵심, 문해력을 키우는 승부수

예비초~초6 각 A·B
교재별 14권

예비초 A·B, 초1~초6: 1A~4C
총 14권

정답은
이안에
있어!

배움으로 행복한 내일을 꿈꾸는
천재교육 커뮤니티 안내 . . .

교재 안내부터 구매까지 한 번에!
천재교육 홈페이지

자사가 발행하는 참고서, 교과서에 대한 소개는 물론
도서 구매도 할 수 있습니다. 회원에게 지급되는 별을 모아
다양한 상품 응모에도 도전해 보세요!

다양한 교육 꿀팁에 깜짝 이벤트는 덤!
천재교육 인스타그램

천재교육의 새롭고 중요한 소식을 가장 먼저 접하고 싶다면?
천재교육 인스타그램 팔로우가 필수!
깜짝 이벤트도 수시로 진행되니 놓치지 마세요!

수업이 편리해지는
천재교육 ACA 사이트

오직 선생님만을 위한, 천재교육 모든 교재에 대한 정보가 담긴
아카 사이트에서는 다양한 수업자료 및 부가 자료는 물론
시험 출제에 필요한 문제도 다운로드하실 수 있습니다.

https://aca.chunjae.co.kr

천재교육을 사랑하는 샘들의 모임
천사샘

학원 강사, 공부방 선생님이시라면 누구나 가입할 수 있는 천사샘!
교재 개발 및 평가를 통해 교재 검토진으로 참여할 수 있는 기회는 물론
다양한 교사용 교재 증정 이벤트가 선생님을 기다립니다.

아이와 함께 성장하는 학부모들의 모임공간
튠맘 학습연구소

튠맘 학습연구소는 초·중등 학부모를 대상으로 다양한 이벤트와 함께
교재 리뷰 및 학습 정보를 제공하는 네이버 카페입니다.
초등학생, 중학생 자녀를 둔 학부모님이라면 튠맘 학습연구소로 오세요!